Reckless
Achter de spiegel

Ander werk van Cornelia Funke

De dievenbende van Scipio (2003; ook als e-book) Zilveren Griffel
Thomas en de laatste draken (2004; ook als e-book)
Hart van inkt (2005; ook als e-book) Zilveren Griffel
De Wilde Kippen Club (2006; ook als e-book)
Web van inkt (2006; ook als e-book)
De Wilde Kippen Club op schoolreis (2007; ook als e-book)
De Wilde Kippen Club: Groot alarm! (2007; ook als e-book)
Igraine Zondervrees (2008)
De spokenjagers (2008)
De Wilde Kippen Club: De hemel op aarde (2008; ook als e-book)
Nacht van inkt (2008; ook als e-book)
Potilla (2009)
De spokenjagers en het vuurspook (2009)
De Wilde Kippen Club en de liefde (2009; ook als e-book)
De spokenjagers en het griezelkasteel (2010)
De spokenjagers in groot gevaar (2010)
De Wilde Kippen Club voor altijd (met Thomas Schmid, 2010; ook als e-book)
Mississippi is van mij (2011; ook als e-book)
De eerste avonturen van De Wilde Kippen Club (2011)
Ridder zonder hart (2012; ook als e-book)
Nieuwe avonturen van De Wilde Kippen Club (2012)
Meer avonturen van De Wilde Kippen Club (2013)
Reckless. Levende schaduwen (2013; ook als e-book)

Cornelia Funke

Reckless

Achter de spiegel

Gevonden en verteld door
Cornelia Funke en Lionel Wigram

Met vignetten van Cornelia Funke
Vertaald door Esther Ottens

Amsterdam · Antwerpen
Em. Querido's Uitgeverij BV
2013

www.queridokinderboeken.nl
www.corneliafunke.com

Dit boek is ook verkrijgbaar als e-book.

Oorspronkelijke titel *Reckless* (Cecilie Dressler Verlag, Hamburg, 2010 / Little, Brown & Company, New York, 2010)
Vertaald door Esther Ottens

Omslagillustratie David Wyatt
Omslagontwerp Steve Wells, Nederlandse uitvoering
Monique Gelissen

ISBN 978 90 451 1554 2 / NUR 284

Voor Lionel, die de deur naar dit verhaal vond en er vaak meer van wist dan ik, vriend en ideeënvinder, onvervangbaar aan beide kanten van de spiegel.

En voor Oliver, die dit verhaal telkens weer Engelse kleren aanmat, waardoor de Brit en de Duitse het samen konden vertellen.

INHOUD

HOOFDSTUK 1

Er was eens

De nacht ademde in en uit als een zwart dier. Het tikken van een klok. Het kraken van de houten vloer toen hij zijn kamer uit glipte – alles verdronk in de stilte. Maar Jacob hield van de nacht. Hij voelde de duisternis als een belofte op zijn huid. Als een jas die geweven was van vrijheid en gevaar.

Buiten verbleekten de sterren bij de felle lichten van de stad, en het verdriet van zijn moeder hing muf in de grote flat. Ze werd niet wakker toen hij haar kamer in sloop en het laatje van het nachtkastje openmaakte. De sleutel lag naast de pillen die haar hielpen slapen. Met het koele metaal in zijn hand liep hij de donkere gang weer op.

In de kamer van zijn broer brandde zoals gewoonlijk nog licht – Will was bang in het donker – en Jacob controleerde of hij wel echt sliep voor hij de deur van de studeerkamer van zijn vader opendeed. Hun moeder was er sinds zijn vaders verdwijning niet meer geweest, maar Jacob ging er niet voor het eerst stiekem naar binnen. Hij zocht er naar antwoorden die zij hem niet geven wilde.

De kamer lag erbij alsof John Reckless een uur geleden nog aan zijn bureau had gezeten. In werkelijkheid was het ruim een jaar terug. Over de bureaustoel hing het gebreide vest dat hij vaak had gedragen, en een gebruikt theezakje lag uitgedroogd op een bord naast zijn agenda van vorig jaar.

Kom terug! Jacob schreef het met zijn vinger op de beslagen ramen, op het stoffige bureau en de ruitjes van de vitrine met de oude pistolen die zijn vader verzamelde. Maar de kamer bleef leeg en stil, en hij was twaalf en had geen vader. Jacob gaf een schop tegen de laden, die hij al zo vaak tevergeefs doorzocht had, smeet in sprakeloze woede boeken en tijdschriften van de planken, trok de modelvliegtuigjes die boven het bureau hingen naar beneden en schaamde zich voor de trots die hij gevoeld had toen hij een van die vliegtuigjes met een penseeltje rood had mogen lakken.

Kom terug! Hij wilde het wel uitschreeuwen door de straten, die zeven verdiepingen lager paden van licht tussen de huizenblokken baanden, en naar de duizend ramen die gele vierkantjes vormden in de nacht.

Het velletje viel uit een boek over vliegtuigmotoren, en Jacob raapte het alleen maar op omdat hij het handschrift van zijn vader dacht te herkennen. Hij zag meteen dat hij zich vergiste. Symbolen en vergelijkingen, een schets van een pauw, een zon, twee manen. Het sloeg allemaal nergens op. Behalve die ene zin, die op de achterkant stond.

DE SPIEGEL GAAT ALLEEN OPEN VOOR WIE ZICHZELF NIET KAN ZIEN.

Jacob draaide zich om en zag zijn spiegelbeeld terugkijken.

De spiegel. Hij kon zich de dag dat zijn vader hem opgehangen had nog precies herinneren. Als een glanzend oog hing hij tussen de boekenkasten. Een glazen afgrond die een vertekend beeld gaf van alles wat John Reckless achtergelaten had: zijn bureau, de oude pistolen, zijn boeken – en zijn oudste zoon.

Het glas was zo bobbelig dat je jezelf er amper in kon herkennen, en donkerder dan dat van de meeste spiegels, maar de rozenranken rond de zilveren lijst leken net echt, alsof ze elk moment konden verwelken.

Jacob deed zijn ogen dicht.

Hij ging met zijn rug naar de spiegel staan.

Voelde achter de lijst of er ergens een slot of een grendel zat.

En keek elke keer weer alleen zijn eigen spiegelbeeld in de ogen.

Het duurde een hele tijd voor Jacob het begreep.

DE SPIEGEL GAAT ALLEEN OPEN VOOR WIE ZICHZELF NIET KAN ZIEN.

Zijn hand was nauwelijks groot genoeg om zijn vertekende gezicht helemaal af te dekken, maar het glas vlijde zich tegen zijn vingers alsof het op hem gewacht had. Opeens was de kamer die hij in de spiegel zag niet meer de studeerkamer van zijn vader.

Jacob draaide zich om. Door twee smalle ramen viel maanlicht op grijze muren, en hij stond met zijn blote voeten op een houten vloer die bezaaid was met eikeldopjes en afgeknaagde vogelbotjes. De kamer was niet veel groter dan die van zijn vader, maar hoog boven zijn hoofd zag Jacob spinnenwebben als sluiers aan de dakbalken hangen.

Waar was hij? Het maanlicht tekende vlekken op zijn huid terwijl hij naar een van de ramen toe liep. Aan het ruwe kozijn plakten bloederige vogelveren, en in de diepte zag hij verschroeide muren en zwarte heuvels waartussen een paar verdwaalde lichtjes fonkelden. Hij stond in een toren. Verdwenen was de zee van huizen en verlichte straten. Alles wat hij kende was weg. En tussen de sterren stonden twee manen, de kleinste van de twee rood als een verroeste munt.

Jacob keek om naar de spiegel en zag de angst in zijn eigen ogen. Maar angst was een gevoel waar hij wel van hield. Het lokte hem naar duistere oorden, door verboden deuren, ver bij hemzelf vandaan. Het doofde zelfs het verlangen naar zijn vader.

Er zat geen deur in de grijze muren, alleen een luik in de vloer. Door het gat zag Jacob de resten van een verbrande trap die in het donker verdween, en even dacht hij daarbeneden een piepklein mannetje langs de muur omhoog te zien klauteren. Op dat moment hoorde hij achter zich iets scharrelen. Hij draaide zich geschrokken om.

Spinrag dwarrelde omlaag. Iets sprong hem hees grommend op zijn nek. Het klonk als een dier, maar het verwrongen gezicht met de ontblote tandjes was grauw en gerimpeld als bij een oud mannetje. Het mannetje was veel en veel kleiner dan Jacob en zo mager als een sprinkhaan. Zijn kleren leken gemaakt van spinnenweb. Het grijze haar hing tot op zijn heupen, en toen Jacob hem bij zijn schrale nekje greep, zonken de gele tandjes diep weg in zijn hand. Met een schreeuw duwde hij de aanvaller van zijn schouder. Het mannetje likte het bloed van zijn lippen en kwam opnieuw op hem af. Jacob schopte naar hem en rende struikelend naar de spiegel. De spinnenman krabbelde overeind, maar voor hij bij hem kon komen legde Jacob zijn ongeschonden hand al op zijn angstige gezicht. Het sprietige figuurtje verdween tegelijk met de grijze muren. In de spiegel zag hij weer het bureau van zijn vader.

'Jacob?'

De stem van zijn broertje kwam nauwelijks boven het bonken van zijn hart uit. Snakkend naar adem deed Jacob een stap bij de spiegel vandaan.

'Jacob, ben jij daar?'

Hij trok zijn mouw over de beet in zijn hand en deed de deur open.

Wills ogen waren groot van angst. Hij had weer eng gedroomd. Broertje. Will liep als een jong hondje achter hem aan, en Jacob beschermde hem op het schoolplein en in het park. En soms vergaf hij hem zelfs dat hun moeder het meest van hem hield.

'Mama zegt dat we daar niet mogen komen.'

'Sinds wanneer doe ik wat mama zegt? Als je het verder vertelt neem ik je nooit meer mee naar het park.'

Jacob voelde het glas van de spiegel in zijn nek, bijna als ijs. Will probeerde de kamer in te kijken, maar boog zijn hoofd toen Jacob de deur achter zich dichttrok. Will, zo behoedzaam als hij onstuimig, zo zachtaardig als hij opvliegend, zo rustig als hij ongedurig was. Toen hij Jacobs hand wilde pakken zag Will het bloed aan diens vingers. Hij keek hem vragend aan, maar Jacob trok hem zonder iets te zeggen mee naar zijn kamer.

Wat de spiegel hem had laten zien, was van hem. Alleen van hem.

HOOFDSTUK 2

Twaalf jaar later

De zon stond al laag boven de muren van de ruïne, maar Will sliep nog steeds, uitgeput van de pijn die hem nu al dagen kwelde.

Een fout, Jacob, na al die jaren van voorzichtigheid.

Al die jaren waarin hij een hele wereld de zijne had genoemd. Voorbij. Al die jaren waarin die vreemde wereld een thuis was geworden. Op zijn vijftiende was hij al voor weken achter de spiegel verdwenen. Op zijn zestiende had hij de maanden niet eens meer geteld, en toch had hij zijn geheim weten te bewaren. Tot hij een keer te veel haast had gehad.

Hou maar op, Jacob. Niets meer aan te doen.

Hij richtte zich op en dekte Will toe met zijn jas. De wonden in de nek van zijn broer waren goed genezen, maar op zijn linkeronderarm was het steen al te zien. De lichtgroene aderen liepen door tot in zijn hand en glansden als gepolijst marmer op de zachte huid.

Eén foutje maar.

Jacob leunde tegen een van de roetzwarte zuilen en keek op naar de toren waarin de spiegel stond. Hij was er nooit doorheen gegaan zonder eerst te controleren of Will en zijn moeder sliepen, nooit. Maar sinds haar dood was er aan de andere kant nog een lege kamer bij gekomen, en hij had er zo naar verlangd om zijn hand weer op het donkere glas te leggen en weg te wezen. Ver weg. *Ongeduld, Jacob. Noem het maar bij z'n naam. Een van je opvallendste eigenschappen.*

Hij zag weer voor zich hoe Wills gezicht achter hem in de spiegel opdook, vertekend door het donkere glas. 'Waar ga je heen, Jacob?' Een nachtvlucht naar Boston, een reis naar Europa – in de loop van de jaren had hij ontelbare smoezen verzonnen. Hij was net zo'n vindingrijke leugenaar als zijn vader. Maar zijn hand had al op het koele glas gelegen, en natuurlijk had Will zijn voorbeeld gevolgd.

Broertje.

'Hij ruikt al net zoals zij.'

Vos maakte zich los uit de schaduw van de verwoeste muren. Haar vacht was vuurrood, alsof de herfst zelf de kleuren gemengd had, en aan haar achterpoot waren de littekens van de klem nog te zien. Het was nu vijf jaar geleden dat Jacob haar eruit bevrijd had, en sindsdien week de moervos niet van zijn zijde. Ze waakte over hem als hij sliep, waarschuwde hem voor gevaren die hij met zijn afgestompte mensenzintuigen zelf niet waarnam en gaf raad die hij maar beter kon opvolgen.

Eén foutje.

Jacob liep onder de poort door, waar in de verbogen scharnieren nog de verkoolde resten van de kasteeldeuren hingen. Op de trap ervoor raapte een kaboutertje eikeltjes van de gebarsten treden op. Toen Jacobs schaduw over hem heen viel ging hij er haastig vandoor. Puntneusjes en rode oogjes, broekjes en hemdjes gemaakt van gestolen mensenkleren – de ruïne krioelde ervan.

'Stuur hem terug! Daar zijn we toch voor gekomen?' Het ongeduld in Vos' stem kon Jacob moeilijk ontgaan.

Maar hij schudde zijn hoofd. 'Het was verkeerd om hierheen te komen. Maar aan de andere kant kan niemand iets voor hem doen.'

Jacob had Vos verteld van de wereld waar hij vandaan kwam, maar ze wilde er eigenlijk niets over horen. Wat ze wist was genoeg: dat hij er veel te vaak in verdween en dan terugkwam met herinneringen die hem als schaduwen achtervolgden.

'Nou en? Wat denk je dat er hier met hem gaat gebeuren?' Al zei Vos het niet hardop, Jacob wist precies wat ze dacht. In deze wereld sloegen mannen hun eigen zonen dood als ze het steen in hun huid ontdekten.

Hij keek neer op de rode daken die aan de voet van de kasteelberg in de schemering opgingen. In Schwanstein sprongen de eerste lichtjes aan. Vanuit de verte was de stad net een plaatje op een ouderwets koekblik, maar sinds een paar jaar liepen er spoorrails door de bergen erachter, en uit fabrieksschoorstenen walmde grijze rook de avondlucht in. De wereld achter de spiegel wilde volwassen worden. Maar het stenen vlees dat in zijn broertje groeide was niet gezaaid door mechanische weefgetouwen of andere moderne verworvenheden, maar door de oude toverkracht die huisde in de bergen en de bossen.

Een goudraaf streek neer op de gebarsten tegels. Jacob joeg hem weg voor hij Will een van zijn boosaardige toverspreuken in het oor kon krassen.

Zijn broer kreunde in zijn slaap. Het menselijk lichaam gaf zich niet zonder slag of stoot gewonnen, en Jacob voelde de pijn als die van hemzelf. Alleen uit liefde voor zijn broer was hij telkens weer teruggegaan naar de andere wereld, al waren zijn bezoekjes met de jaren steeds schaarser geworden. Zijn moeder had gehuild en met de kinderbescherming gedreigd, zonder ooit te vermoeden waar hij heen ging, maar Will had zijn armen om Jacobs nek geslagen en gevraagd wat hij voor hem meegebracht had. Kabouterschoentjes, een mutsje van een duimelijn, een knoop van elfenglas, een reepje geschubde huid van een watergeest – Will had al Jacobs cadeautjes onder zijn bed verstopt, en hij dacht altijd dat de verhalen die zijn broer erbij vertelde sprookjes waren die hij speciaal voor hem verzon.

Nu wist hij dat het allemaal waar was.

Jacob trok de jas over de verminkte arm van zijn broer. Aan de hemel waren de twee manen al te zien.

'Pas goed op hem, Vos.' Hij kwam overeind. 'Ik ben gauw weer terug.'

'Waar wou je heen? Jacob!' Vos versperde hem de weg. 'Niemand kan meer iets voor hem doen!'

Jacob duwde haar opzij. 'Dat zullen we nog wel eens zien,' zei hij. 'Laat Will niet de toren in.'

Vos keek hem na toen hij de trap af liep. De voetsporen

op de bemoste treden waren allemaal van hem. Hierboven kwam verder geen mens. Er werd gezegd dat de ruïne vervloekt was, en Jacob kende inmiddels tientallen verhalen over de ondergang van het kasteel, maar na al die jaren wist hij nog steeds niet wie de spiegel in de toren had gezet. Net zomin als hij er ooit achter gekomen was waar zijn vader gebleven was.

Een duimelijn sprong in zijn kraag. Jacob kreeg hem nog net te pakken voor hij het medaillon van zijn hals kon grissen. Elke andere dag zou hij meteen achter de kleine dief aan zijn gegaan. Duimelijnen gingen ervandoor met alles wat waardevol was en verstopten het in hun holle bomen. Maar hij had al veel te veel tijd verdaan.

Eén foutje, Jacob.

Hij zou het rechtzetten. Maar Vos' woorden volgden hem de steile helling af.

Niemand kan meer iets voor hem doen.

Als dat waar was, had hij straks geen broertje meer. Niet in deze wereld, niet in die andere.

Eén foutje.

HOOFDSTUK 3

Goyl

Het veld waar Hentzau met zijn soldaten doorheen reed rook nog naar bloed. De regen had de zwaarbevochten loopgraven gevuld met modderwater, en achter de muren die beide partijen als dekking hadden opgericht lag de grond bezaaid met achtergelaten geweren en kapotgeschoten helmen. Kami'en had de paarden- en mensenlijken laten verbranden voor ze konden gaan rotten, maar de gevallen goyl lagen nog waar ze gesneuveld waren. Over een paar dagen al zouden ze niet meer te onderscheiden zijn van de keien die uit de omwoelde aarde staken, en zoals gebruikelijk bij de goyl, waren de hoofden van de strijders die in de voorste linies gevochten hadden naar de koningsvesting gestuurd.

Weer een veldslag. Hentzau had er schoon genoeg van –

hopelijk was deze voor een hele tijd de laatste. De keizerin was eindelijk bereid om te onderhandelen, en zelfs Kami'en wilde vrede. Hentzau hield een hand voor zijn gezicht toen de wind de as van de heuvel blies waar ze de lijken verbrand hadden. Zes jaar boven de grond, zes jaar zonder veilige rots tussen hem en de zon. Zijn ogen deden pijn van al dat licht en zijn huid werd bros van de kou, die met de dag erger werd. Hij had een bruine jaspishuid. Niet de beste kleur voor een goyl. Hij was als eerste jaspisgoyl in de hoogste rangen van het leger doorgedrongen, maar vóór Kami'en hadden de goyl ook nog nooit een koning gehad, en Hentzau was heel tevreden met zijn huid. Jaspis bood een veel betere schutkleur dan onyx of maansteen.

Kami'en had niet ver van het slagveld kwartier gemaakt, in het jachtslot van een keizerlijke generaal, die net als de meeste van zijn officieren gesneuveld was. De wachters voor de verwoeste poort salueerden toen ze Hentzau zagen aankomen. De 'bloedhond van de koning' noemden ze hem, zijn 'jaspisschaduw'. Hentzau diende al onder Kami'en sinds ze samen de andere aanvoerders verslagen hadden. Twee jaar hadden ze erover gedaan om hun vijanden uit de weg te ruimen, en daarna hadden de goyl hun eerste koning gekregen.

De straat die van de poort omhoogliep naar het slot was omzoomd met witmarmeren beelden. Terwijl Hentzau ertussendoor reed amuseerde hij zich niet voor het eerst met de gedachte dat mensen hun goden en helden in steen vereeuwigden, maar de goyl, zijn soortgenoten, juist om hun huid verafschuwden. Maar zelfs de weekhuiden moesten het toegeven: steen was het enige dat bleef.

De ramen van het slot waren dichtgemetseld, zoals de goyl

bij alle gebouwen deden die ze innamen, maar pas op de trap naar de kelders werd Hentzau eindelijk omringd door de weldadige duisternis die alleen onder de grond te vinden was. Een paar schaarse gaslampen verlichtten de gewelven, waar de voorraden en stoffige jachttrofeeën verdwenen waren en waar nu de generale staf van de koning huisde.

Kami'en. Zijn naam betekende in hun taal niets anders dan 'steen'. Zijn vader had het bevel gevoerd over een van de ondergrondse steden, maar vaders speelden bij de goyl geen grote rol. Goyl werden opgevoed door hun moeder en waren op hun negende volwassen en op zichzelf aangewezen. De meeste gingen daarna op verkenningstocht in de ondergrondse wereld, op zoek naar onontdekte grotten, tot de hitte zelfs voor stenen huid ondraaglijk werd. Maar Kami'en was altijd alleen in de bovengrondse wereld geïnteresseerd geweest. Lange tijd had hij in een van de grotsteden gewoond, die de goyl boven de grond gebouwd hadden omdat het in de steden beneden te vol werd. Hij had er twee aanvallen door mensenlegers overleefd. Daarna was hij begonnen hun wapens en krijgstactieken te bestuderen; hij was hun steden en legerkampen binnengeslopen, en op zijn negentiende had hij hun eerste stad veroverd.

Toen de lijfwachten Hentzau binnenlieten, stond Kami'en voor de kaart waarop zijn veroveringen en de posities van zijn tegenstanders aangegeven werden. De beeldjes die de troepen symboliseerden had hij na de eerste gewonnen veldslag laten maken. Cavaleristen, soldaten, kanonniers, scherpschutters. De goyl waren van carneool, de keizerlijken van zilver, Lotharingen droeg goud, de legers in het oosten koper en de troepen van Albion marcheerden in ivoor. Kami'en keek op de beeldjes neer alsof hij op een manier zon om al zijn vijanden in één klap te verslaan. Zoals altijd als hij zijn uniform niet aanhad droeg de koning zwart, waar zijn rode huid vurig bij afstak. Nooit eerder had een aanvoerder de kleur van carneool gehad. Bij de goyl was onyx de kleur van de vorsten.

Kami'ens geliefde droeg zoals gewoonlijk groen; lagen smaragdkleurig fluweel die haar omhulden als de blaadjes van een bloem. Naast haar verbleekte zelfs de mooiste goylvrouw als kiezel naast geslepen maansteen, maar Hentzau verbood zijn soldaten naar haar te kijken. Niet voor niets bestonden er verhalen over feeën die mannen met één blik in distels of hulpeloos spartelende vissen veranderden. Haar schoonheid was spinnengif. Zij en haar zusters waren uit water geboren, en Hentzau was net zo bang voor hen als voor de zeeën die aan de rotsen van deze wereld likten.

De fee liet haar blik vluchtig over hem heen glijden. De Zwarte Fee. Zelfs haar eigen zusters hadden haar verstoten. Het gerucht ging dat ze gedachten kon lezen, maar dat geloofde Hentzau niet. Dan had ze hem allang vermoord, met alles wat hij over haar dacht.

Hij keerde haar de rug toe en maakte een buiging voor de koning. 'U hebt mij ontboden.'

Kami'en pakte een van de zilveren beeldjes en woog het in zijn hand. 'Je moet iemand voor me opsporen. Een mens die het stenen vlees krijgt.'

Hentzau wierp een vlugge blik op de fee.

'Waar moet ik zoeken?' protesteerde hij. 'Daar zijn er intussen duizenden van.'

Mensengoyl. Vroeger had hij zijn klauwen gebruikt om mee te doden, maar dankzij de toverkunsten van de fee zaaiden diezelfde klauwen nu het stenen vlees. Net als alle feeën kon ze geen kinderen baren, dus schonk ze Kami'en zonen door middel van de klauwen van zijn soldaten, die met elke houw goyl maakten van hun menselijke tegenstanders. Niemand streed hardvochtiger dan een mensengoyl tegen zijn vroegere soortgenoten, maar Hentzau had net zo'n hekel aan hen als aan de fee die hen tevoorschijn getoverd had.

Om Kami'ens mond speelde een glimlachje. Nee, de fee kon Hentzaus gedachten niet lezen. Maar zijn koning wel.

'Maak je geen zorgen. Degene die je voor me moet halen is makkelijk te herkennen.' Kami'en zette het zilveren beeldje weer op de kaart. 'Zijn nieuwe huid is namelijk van jade.'

De wachters keken elkaar verrast aan, maar Hentzau trok een ongelovig gezicht. De lavamannetjes die het bloed van de aarde kookten, de vogel zonder ogen die alles zag – en de goyl met de huid van jade, die de koning die hij diende onoverwinnelijk maakte... verhalen die ze hun kinderen vertelden om de duisternis onder de grond te vullen met beelden.

'Welke spion heeft u dat wijsgemaakt?' Hentzau streek over zijn pijnlijke arm. Nog even en het zou zo koud worden dat zijn huid versplinterde als glas. 'Laat hem executeren. De jadegoyl is een sprookje. Sinds wanneer kunt u sprookjes en werkelijkheid niet meer uit elkaar houden?'

De wachters keken zenuwachtig naar de grond. Elke andere goyl zou deze woorden met zijn leven hebben moeten bekopen, maar Kami'en haalde onverschillig zijn schouders op.

'Ga hem zoeken!' zei hij. 'Ze heeft van hem gedroomd.'

Ze. De fee streek haar fluwelen jurk glad. Zes vingers aan elke hand. Voor elke vloek één. Hentzau voelde woede opkomen. Een woede die elke goyl meedroeg in zijn stenen vlees, als de hitte in de schoot van de aarde. Hij zou voor zijn koning sterven als het nodig was, maar achter de hersenspinsels van zijn geliefde aan jagen was iets heel anders.

'Uwe majesteit heeft geen jadegoyl nodig om onoverwinnelijk te zijn.'

Kami'en keek hem aan alsof hij een vreemde was.

Uwe majesteit. Hentzau betrapte zichzelf er steeds vaker op dat hij zijn koning niet meer bij zijn naam durfde te noemen.

'Ga hem zoeken,' herhaalde Kami'en. 'Ze zegt dat het belangrijk is, en tot nu toe heeft ze altijd gelijk gehad.'

De fee kwam naast hem staan en Hentzau stelde zich voor hoe hij haar bleke keeltje dicht zou knijpen. Ook dat schonk geen troost. Ze was onsterfelijk, en op een dag zou zij hém zien sterven. Hem en Kami'en. En diens kinderen en kindskinderen. Allemaal waren ze haar speeltjes, haar sterfelijke, stenen speeltjes. Maar Kami'en hield van haar, meer dan van de twee goylvrouwen die hem drie dochters en een zoon geschonken hadden.

Ja, omdat ze hem behekst heeft, fluisterde een stemmetje in Hentzaus binnenste. Maar hij boog zijn hoofd en bracht zijn vuist naar zijn hart. 'Zoals u beveelt.'

'Ik heb hem gezien in het Donkere Bos.' Zelfs haar stem klonk als water.

'Dat is meer dan zestig vierkante mijl groot!'

De fee glimlachte, en Hentzau voelde hoe haat en angst zijn hart verkilden.

Zonder een woord te zeggen haalde ze de parelmoeren spelden uit haar opgestoken haar en schudde het met haar handen los. Zwarte motten fladderden tussen haar vingers vandaan. Op hun vleugels zaten grijzige vlekken die aan doodshoofden deden denken. De wachters gooiden vlug de deuren open toen de zwerm hun kant op kwam, en ook Hentzaus soldaten, die buiten op de gang stonden te wachten, deinsden terug bij de aanblik. Iedereen wist dat de angels van de motten zelfs door goylhuid heen gingen.

De fee stak de spelden weer in haar haar. 'Als ze hem gevonden hebben komen ze naar je toe,' zei ze zonder Hentzau aan te kijken, 'en dan breng jij hem meteen bij mij.'

Zijn mannen staarden haar vanuit de deuropening aan, maar bogen snel hun hoofd toen Hentzau zich omdraaide.

Fee.

Dat ze vervloekt mocht worden – zij en de nacht waarin ze opeens tussen hun tenten stond. De derde veldslag, de derde overwinning. En zij was op de tent van de koning afgestapt alsof het gekerm van de gewonden en de witte maan die boven de doden stond haar hadden voortgebracht. Hentzau had haar de weg versperd, maar ze was dwars door hem heen gelopen, als water door poreus gesteente, alsof ook hij al dood was, en had het hart van zijn koning gestolen om het in haar eigen harteloze borst te stoppen.

Zelfs Hentzau moest toegeven dat het machtigste wapen minder angst zaaide dan de vloek die het weke vlees van haar tegenstanders in steen veranderde. Maar hij was ervan overtuigd dat ze de oorlog ook zonder haar gewonnen zouden hebben, en dat de overwinning dan zoveel zoeter zou hebben gesmaakt.

'Ik vind die jadegoyl ook wel zonder uw motten,' zei hij. 'Als hij tenminste méér is dan een droom.'

Ze antwoordde hem met een lachje. Het volgde hem de hele weg omhoog naar het daglicht, dat zijn blik troebel maakte en zijn huid deed barsten als brokkelige klei.

Dat ze vervloekt mocht worden.

HOOFDSTUK 4

Aan de andere kant

Wills stem had zo anders geklonken. Clara had hem bijna niet herkend. Eerst al die weken zonder levensteken, en dan opeens die vreemde aan de telefoon die niet echt zei waarvoor hij belde.

Het leek nog drukker op straat dan anders en ze deed er eindeloos lang over, maar eindelijk stond ze dan voor de oude flat waar hij en zijn broer opgegroeid waren. Van de grauwe gevel keken starre koppen op haar neer; hun verwrongen tronies waren aangevreten door uitlaatgassen. Terwijl de portier de deur voor haar openhield keek Clara onwillekeurig naar ze op. Onder haar jas had ze haar lichtgroene tuniek nog aan. Ze had niet de tijd genomen zich om te kleden. Ze was gewoon zo het ziekenhuis uit gelopen.

Will.

Hij had zo verloren geklonken. Als een drenkeling. Of iemand die afscheid neemt.

Clara trok het traliehek van de oude lift achter zich dicht. Die tuniek had ze ook aangehad toen ze Will voor het eerst ontmoette, voor de kamer waarin zijn moeder lag. Clara werkte in het weekend vaak in het ziekenhuis, en niet alleen omdat ze geld nodig had. Studieboeken en universiteiten maakten dat je maar al te makkelijk vergat dat zieken echte mensen van vlees en bloed waren.

Zevende verdieping.

Het koperen naambordje naast de deur was zo verkleurd dat Clara zonder erbij na te denken haar mouw eroverheen haalde.

RECKLESS. Will maakte zich er vaak vrolijk over dat die naam zo slecht bij hem paste.

Achter de voordeur lag een stapel ongeopende post, maar in de hal brandde wel licht.

'Will?'

Ze deed de deur van zijn kamer open.

Niets.

In de keuken was hij ook niet.

De flat zag eruit alsof er in geen weken iemand was geweest. Maar Will had gezegd dat hij van huis belde. Waar was hij dan?

Clara liep langs de lege kamer van zijn moeder, en ook langs die van zijn broer, die ze nog nooit te zien had gekregen. *'Jacob is op reis.'* Jacob was altijd op reis. Soms vroeg ze zich af of die Jacob eigenlijk wel bestond.

Ze bleef staan.

De deur van zijn vaders studeerkamer stond open. Will kwam daar nooit. Hij ontkende alles wat met zijn vader te maken had.

Clara ging aarzelend naar binnen. Boekenkasten, een vitrine met oude pistolen, een bureau. Op de vleugels van de modelvliegtuigjes erboven lag een laag stof, als vuile sneeuw. Het was helemaal erg stoffig in de kamer, en zo koud dat ze haar adem in de lucht kon zien hangen.

Tussen de boekenkasten hing een spiegel.

Clara liep ernaartoe en ging met haar hand over de zilveren rozen op de lijst. Zoiets moois had ze nog nooit gezien. Het glas binnen de omlijsting was zo donker dat de nacht erin leeggelopen leek. Het was beslagen, en precies op de plek waar ze haar eigen gezicht weerspiegeld zag, zat de afdruk van een hand.

HOOFDSTUK 5

Schwanstein

Het licht van de lantaarns spoelde als gemorste melk door de straten van Schwanstein. Gaslicht en houten karrenwielen die over hobbelige kasseien bolderden, vrouwen in lange rokken, de zomen nat van de regen. In de klamme herfstlucht hing de geur van rook, en roet kleurde de was aan de lijnen tussen de puntgevels zwart. Tegenover het postkoetsstation lagen een treinstation en een telegraafkantoor, en er was een fotograaf die stijve hoedjes en rokken met ruches vastlegde op zilveren platen. Fietsen stonden tegen huismuren, waaraan aanplakbiljetten waarschuwden voor watergeesten en goudraven. Nergens deed de Spiegelwereld zo hard zijn best om op de andere kant te lijken als in Schwanstein, en Jacob had zich natuurlijk al vaak afgevraagd hoeveel er door de spiegel in de werkkamer van zijn vader gekomen was. In het museum van de stad lagen voorwerpen die verdacht veel aan de andere wereld deden denken. Een kompas en een camera kwamen Jacob zo bekend voor dat hij dacht dat ze wel eens van zijn vader geweest konden zijn, maar niemand kon hem vertellen waar de vreemdeling die ze achtergelaten had gebleven was.

De klokken van de stad luidden de avond in toen Jacob de straat naar het marktplein uit liep. Voor een bakkerswinkel verkocht een dwergenvrouw geroosterde kastanjes. De zoete geur vermengde zich met die van de paardenvijgen waarmee de straten bezaaid lagen. De verbrandingsmotor was nog niet tot achter de spiegel doorgedrongen, en op het marktplein stond een ruiterstandbeeld van een vorst die in de bergen rond de stad nog met reuzen gevochten had. Hij was een voorvader van de huidige keizerin, Therese van Austrië. Haar familie had reuzen en draken met zoveel succes bestreden dat beide in hun koninkrijk allang als uitgestorven golden. De krantenjongen die naast het monument luidkeels het laatste nieuws verkondigde, had in zijn leven hooguit een voetafdruk van een reus of de sporen van drakenvuur op de stadsmuren gezien.

Beslissende veldslag... veel slachtoffers... generaal gesneuveld... geheime onderhandelingen met de goyl...

Het was oorlog in de Spiegelwereld, en in die oorlog waren de mensen niet aan de winnende hand. Het was nu vier dagen geleden dat Will en hij een van hun stoottroepen in de armen waren gelopen, maar Jacob zag ze zo weer het bos uit komen: drie soldaten en een officier, hun stenen gezichten nat van de regen. Ogen van goud en zwarte klauwen die de hals van zijn broer openreten... Goyl.

'Pas goed op je broertje, Jacob.'

Hij drukte de jongen drie koperen stuivers in zijn groezelige hand. De kabouter op zijn schouder loerde er argwanend naar. Veel kabouters zochten het gezelschap van mensen op en lieten zich door hen voeden en kleden, wat overigens weinig veranderde aan hun altijd slechte humeur.

'Waar staan de goyl?' vroeg Jacob.

'Nog geen vijf mijl hiervandaan.' De jongen wees naar het zuidoosten. 'Als de wind goed stond kon je de schoten horen. Maar sinds gisteren is het stil.' Hij keek er bijna teleurgesteld bij. Op zijn leeftijd klonk zelfs oorlog naar avontuur.

De keizerlijke soldaten die uit de herberg naast de kerk kwamen wisten wel beter. DE MENSENETER: Jacob was getuige geweest van het voorval waaraan de herberg zijn naam ontleende, en dat de eigenaar zijn rechterarm gekost had. Albert Chanute stond met een chagrijnig gezicht achter de tapkast toen Jacob de schemerige gelagkamer binnenstapte. Chanute was zo'n dikke bonk van een kerel dat wel beweerd werd dat hij trollenbloed in zijn aderen had – niet bepaald een compliment in de Spiegelwereld – maar voor de menseneter hem een arm afhakte was Chanute de beste schatjager van heel Austrië. Jacob was jarenlang bij hem in de leer geweest. Chanute had hem laten zien hoe je achter de spiegel roem en rijkdom kon vergaren, en Jacob had voorkomen dat de menseneter ook nog zijn hoofd eraf sloeg.

De muren van de gelagkamer hingen vol met aandenkens aan Chanutes glorietijd: de kop van een bruine wolf, het ovendeurtje uit een peperkoekhuisje, een knuppel-uit-de-zak die van de muur sprong als een gast zich niet gedroeg, en recht boven de tapkast, hangend aan de ketting waarmee hij zijn slachtoffers geboeid had, de arm van de menseneter die een eind gemaakt had aan Chanutes schatjagersdagen. De blauwachtige huid glansde nog altijd als hagedissenleer.

'Kijk eens aan! Jacob Reckless.' Er verscheen zowaar een glimlach op Chanutes knorrige gezicht. 'Ik dacht dat je in Lotharingen zat, op zoek naar dat uurglas.'

Chanute was als schatjager een legende geweest, maar Jacob genoot inmiddels een even grote reputatie, en de drie mannen die aan een van de vuile tafeltjes zaten keken nieuwsgierig op.

'Gooi je klanten eruit!' fluisterde Jacob over de tapkast. 'Ik moet je spreken.'

Daarna liep hij de trap op naar het kamertje dat sinds jaar en dag de enige plek was die hij, hier of in de andere wereld, 'thuis' noemde.

Een tafeltje-dek-je, een glazen muiltje, de gouden bal van een prinses – Jacob had in deze wereld al van alles gevonden en voor veel geld verkocht aan vorsten en rijke handelaren. Achter de deur van het eenvoudige kamertje stond een kist waarin hij de schatten bewaarde die hij zelf wilde houden. Ze waren in veel noodsituaties zijn gereedschap en zijn redding geweest, maar hij had nooit kunnen denken dat hij ze op een dag zou moeten gebruiken om zijn eigen broertje te redden.

Het eerste wat hij uit de kist haalde was een simpele linnen zakdoek, die als je erover wreef steevast een of twee gouden daalders produceerde. Jacob had hem jaren geleden van een heks gekregen, in ruil voor een kus die nog weken op zijn lippen gebrand had. De andere spullen die hij in zijn rugzak stopte zagen er net zo onbeduidend uit: een zilveren snuifdoos, een koperen sleutel, een tinnen bord en een groen flesje. Maar al die dingen hadden hem stuk voor stuk al minstens één keer het leven gered.

Toen Jacob de trap weer af kwam was de gelagkamer verlaten. Chanute zat aan een tafeltje en schoof een beker wijn naar hem toe.

'En? Wat heb je je nu weer op je hals gehaald?' vroeg Chanute, met een begerige blik op de wijn. Zelf had hij alleen een glas water voor zijn neus staan. Vroeger was hij zo vaak dronken geweest dat Jacob de flessen voor hem was gaan verstoppen, ook al had hij daar elke keer weer slaag voor gekregen. De oude schatjager had hem vaak geslagen – en niet alleen als hij dronken was – tot Jacob op een dag zijn eigen pistool op hem gericht had. Ook in de grot van de menseneter was Chanute dronken geweest, en als hij toen niet dubbel had gezien, had hij zijn arm nu waarschijnlijk nog gehad. Daarna was hij gestopt met drinken. De schatjager was waardeloos als vaderfiguur, en Jacob bleef altijd een beetje op zijn hoede voor hem, maar als iemand wist wat Will kon redden, dan was het Albert Chanute.

'Wat zou jij doen als je een vriend van het stenen vlees moest genezen?'

Chanute verslikte zich in zijn water en bestudeerde Jacob alsof hij vreesde dat hij het eigenlijk over zichzelf had.

'Ik heb geen vrienden,' bromde hij, 'en jij ook niet. Die moet je vertrouwen, en daar zijn we allebei niet zo goed in. Wie is het?'

Jacob schudde zijn hoofd.

'O ja. Jacob Reckless doet graag een beetje geheimzinnig! Hoe kon ik dat nou vergeten?' Chanute klonk bitter. Ondanks alles zag hij Jacob als de zoon die hij nooit gehad had. 'Wanneer hebben ze die vriend van je te grazen genomen?'

'Vier dagen geleden.'

Ze waren aangevallen in de buurt van het dorp waar Jacob naar het uurglas zocht. Hij had onderschat hoe ver de goyl al in keizerlijk gebied doorgedrongen waren, en na de aanval had Will zo'n pijn gehad dat ze dagen over de terugweg gedaan hadden. Terug? Waarheen? Er was geen weg terug, maar Jacob had niet de moed gehad dat tegen Will te zeggen.

Chanute haalde een hand door zijn borstelige haar. 'Vier dagen? Vergeet het dan maar. Dan is hij al half een goyl. Weet je nog dat de keizerin ze in alle kleuren verzamelde en die boer ons een dooie probeerde aan te smeren als onyx, terwijl hij gewoon het maansteen met lampenroet had ingesmeerd?'

Ja, Jacob wist het nog. Rotskoppen. Zo werden ze toen nog genoemd. De mensen vertelden hun kinderen verhalen over hen om ze bang te maken voor het donker. Terwijl hij met Chanute rondtrok, hadden de eersten zich in grotten boven de grond gevestigd, en de omringende dorpen hadden heksenjachten op hen georganiseerd. Maar inmiddels hadden ze een koning, en die koning joeg nu op de jagers.

Er ritselde iets bij de achterdeur, en Chanute trok zijn mes. Hij was er zo snel mee dat de rat midden in zijn sprong aan de muur genageld werd.

'Deze wereld gaat naar de knoppen,' mopperde hij, terwijl hij zijn stoel naar achteren schoof. 'De ratten zijn bijna zo groot als honden. Op straat stinkt het als in een trollengrot met al die fabrieken, en de goyl staan nog maar een paar mijl hiervandaan.'

Hij raapte de dode rat op en gooide hem op tafel.

'Aan het stenen vlees is niets te doen.' Chanute veegde het bebloede mes af aan zijn mouw. 'Maar als ík het opgelopen had, zou ik naar een heksenhuis gaan en in de tuin een struik met zwarte bessen zoeken. Het moet natuurlijk wel van een heks zijn die kinderen eet.'

'Ik dacht dat die allemaal naar Lotharingen vertrokken waren, nu de andere heksen op hen jagen.'

'Maar daarom staan hun huizen er nog wel. Die struiken groeien op de plek waar ze de botten van hun slachtoffers begroeven. De bessen zijn het sterkste middel tegen vloeken dat ik ken.'

Heksenbessen. Jacob keek naar het ovendeurtje aan de muur. 'Die heks in het Donkere Bos at toch ook kinderen?'

'Dat mens was een van de ergsten. Ik heb bij haar thuis een keer naar zo'n kam gezocht, die je in een kraai verandert als je hem in je haar steekt.'

'Weet ik. Je stuurde mij als eerste naar binnen.'

'Is dat zo?' Chanute wreef verlegen over zijn vlezige neus. Hij had Jacob wijsgemaakt dat de heks op haar bezem weggevlogen was.

Jacob hing de rugzak om zijn schouders. 'Je goot brandewijn over mijn wonden.' Haar vingerafdrukken stonden nog steeds in Jacobs hals. Het had weken geduurd voor de brandwonden genezen waren.

'Ik heb een pakpaard nodig, proviand, twee geweren en munitie.'

Chanute leek hem niet gehoord te hebben. Hij staarde naar zijn trofeeën. 'Die goeie ouwe tijd,' mompelde hij. 'De keizerin heeft me drie keer persoonlijk ontvangen. Hoever heb jij het geschopt?'

Jacob wreef over de zakdoek in zijn zak, tot hij twee daalders tussen zijn vingers voelde.

'Twee keer,' zei hij, terwijl hij de daalders op tafel gooide. Hij was inmiddels zes keer op audiëntie geweest, maar zijn leugen maakte Chanute dolgelukkig.

'Hou dat goud maar bij je!' bromde hij. 'Ik hoef geen geld van je. Hier.' Hij gaf Jacob zijn mes. 'Er is niets wat je met dit mes niet kapot krijgt. Jij zult het harder nodig hebben dan ik, denk ik zo.'

HOOFDSTUK 6

Verliefde dwaas

Will was weg. Jacob zag het zodra hij het pakpaard door de vervallen poort van de ruïne leidde. De ruïne lag er zo verlaten bij alsof zijn broer hem nooit door de spiegel achternagekomen was, alsof alles goed was en deze wereld nog steeds de zijne, alleen de zijne. Het was bijna een opluchting, merkte hij. *Laat hem gaan, Jacob.* Waarom niet gewoon vergeten dat hij een broertje had?

'Hij zei dat hij terug zou komen.' Vos zat tussen de zuilen. De nacht kleurde haar vacht zwart. 'Ik heb geprobeerd hem tegen te houden, maar hij is al net zo koppig als jij.'

Nog een fout, Jacob. Hij had Will mee moeten nemen naar Schwanstein, in plaats van hem bij de ruïne te verstoppen. Will wilde naar huis. Alleen maar naar huis. Maar het steen zou hij meenemen.

Jacob stalde het paard bij de twee andere, die achter de ruine stonden te grazen, en liep naar de toren. Zijn schaduw schreef een enkel woord op de tegels: *Terug.*

Een schrikbeeld voor jou, Jacob, een belofte voor Will.

De klimop groeide zo dicht langs de zwartgeblakerde muur omhoog dat de altijdgroene ranken als een gordijn voor de deuropening hingen. De toren was het enige deel van het kasteel dat de brand min of meer onbeschadigd had doorstaan. Binnen zwermden vleermuizen, en de touwladder die Jacob jaren geleden had opgehangen glinsterde zilverwit in het donker. De elfen strooiden er hun stof over, alsof ze hem wilden inprenten dat hij lang geleden uit een andere wereld was afgedaald.

Vos keek bezorgd toe terwijl Jacob het touw pakte.

'We vertrekken zodra ik met Will terug ben,' zei hij.

'Vertrekken? Waarheen dan?'

Maar Jacob klom de wiebelige ladder al op.

De twee manen schenen de torenkamer in, en zijn broer stond naast de spiegel. Hij was niet alleen.

Het meisje maakte zich uit zijn armen los zodra ze Jacob hoorde aankomen. Ze was mooier dan op de foto's die Will hem had laten zien. Verliefde dwaas.

'Wat doet zij hier?' Jacob voelde zijn eigen boosheid als kou op zijn huid. 'Ben je wel helemaal goed wijs?'

Hij veegde het elfenstof van zijn handen. Als je niet oppaste werkte het als een slaapmiddel.

Will nam het meisje bij de hand. 'Clara,' zei hij, 'dit is mijn broer, Jacob.'

Hij sprak haar naam uit alsof hij een parel op zijn tong proefde. Will had de liefde altijd al veel te serieus genomen.

'Wat moet er nog meer misgaan voor je begrijpt wat dit voor wereld is?' beet Jacob hem toe. 'Stuur haar terug. Nu meteen.'

Ze was bang, maar ze deed haar best om haar angst te verbergen. Angst voor de wereld die niet kon bestaan, voor de rode maan die buiten aan de hemel stond – *en voor jou, Jacob.* Het leek haar te verrassen dat hij echt bestond. Wills grote broer. Net zo onwerkelijk als de kamer waarin ze stond.

Ze pakte Wills verminkte hand. 'Wat is dit?' vroeg ze met bevende stem. 'Wat gebeurt er met hem? Dit soort uitslag heb ik nog nooit gezien!'

Natuurlijk. Medicijnenstudente... Kijk haar nou, Jacob! Ze is smoorverliefd, net als je broer. Zo verliefd dat ze hem zelfs naar een andere wereld gevolgd is.

Boven hun hoofd ritselde iets. Een mager gezicht keek tussen de balken door op hen neer. De stilt, die Jacob bij zijn eerste bezoek achter de spiegel had gebeten, liet zich nog steeds met geen mogelijkheid verjagen, maar zijn lelijke tronie verdween meteen tussen de spinnenwebben toen Jacob zijn pistool trok. Een tijdje had hij de pistolen uit de verzameling van zijn vader gebruikt, maar uiteindelijk had hij een van die antieke dingen door een wapensmid in New York van het binnenwerk van een modern pistool laten voorzien.

Clara staarde geschokt naar de glanzende loop.

'Stuur haar terug, Will.' Jacob stak het wapen weer in zijn riem. 'Ik zeg het niet nog een keer.'

Ook Will had inmiddels dingen gezien die angstaanjagender waren dan een grote broer, maar uiteindelijk draaide hij zich om en streek Clara's blonde haar van haar voorhoofd.

'Jacob heeft gelijk,' fluisterde hij. 'Ik kom gauw achter je aan. Dit gaat weer over, je zult het zien. Mijn broer verzint wel een oplossing.'

Jacob had nooit begrepen waar Wills vertrouwen vandaan kwam. Niets had dat vertrouwen ooit aan het wankelen gebracht, ook de afgelopen jaren niet, toen zijn broertje hem nauwelijks te zien had gekregen.

Jacob wendde zich af en liep naar het luik.

'Ga terug, Clara. Alsjeblieft,' hoorde hij Will zeggen.

Hij stond alweer onder aan de touwladder toen zijn broer eindelijk achter hem aan kwam. Will klom aarzelend naar beneden, alsof hij het liefst nooit op de grond zou aankomen. Daarna stond hij een tijdje naar het elfenstof aan zijn handen te kijken. Diepe slaap en betoverende dromen – niet zo'n slecht cadeau, maar Will veegde het stof af zoals Jacob hem geleerd had. Toen voelde hij aan zijn nek; inmiddels was ook daar het eerste bleke groen te zien.

'Jij hebt niemand nodig hè, Jacob?' Het klonk bijna jaloers. 'Dat is altijd zo geweest.'

Jacob hield de klimop opzij. 'Als je haar zo hard nodig hebt,' zei hij, 'moet je haar laten waar ze veilig is.'

Vos stond bij de paarden te wachten. En het beviel haar helemaal niet dat Jacob met Will terugkwam. *Niemand kan iets voor hem doen.* Het stond nog steeds in haar ogen te lezen.

We zullen zien, Vos.

De paarden waren onrustig. Will aaide ze geruststellend over hun neus. Zijn zachtmoedige broertje. Als kind had hij elke loslopende hond mee naar huis genomen en hete tranen gehuild om de vergiftigde ratten in het park. Maar wat er in zijn lichaam groeide, was allesbehalve zacht.

'Waar gaan we heen?' vroeg hij met een blik op de toren.

Jacob gaf hem een van de geweren die aan het zadel van het pakpaard hingen.

'Naar het Donkere Bos.'

Vos keek op.

Ja, ik weet het, Vos. Geen fijne plek.

Zijn merrie duwde met haar hoofd in zijn rug. Jacob had Chanute er een heel jaarinkomen voor betaald, maar ze was het geld dubbel en dwars waard. Hij wilde net haar zadelriem aantrekken toen Vos naast hem begon te grommen.

Voetstappen. Iemand kwam langzaam dichterbij. En bleef staan.

Jacob draaide zich om.

'Wat dit ook is...' Clara stond tussen de zwarte zuilen, '...Will heeft me nodig. En ik wil weten wat er gebeurd is.'

Vos keek naar haar alsof ze een uitheemse diersoort was. De vrouwen in haar wereld droegen lange rokken en staken hun haar op of vlochten het als boerendochters. Deze hier had een broek aan, en ze had bijna net zulk kort haar als een jongen.

In de verte huilde een wolf. Will trok Clara mee en begon op haar in te praten, maar zij pakte zijn arm en volgde met haar vingers de stenen aderen in zijn huid.

Je bent niet meer de enige die op Will past, Jacob. Clara keek zijn kant op, en in een flits herinnerde ze hem aan zijn moeder. Waarom had hij haar nooit over de spiegel verteld? Misschien had de wereld daarachter het verdriet wel een beetje van haar gezicht kunnen wissen. *Te laat, Jacob.* Veel te laat.

Vos kon haar ogen niet van het meisje af houden. Jacob vergat wel eens dat ze zelf ook een meisje was.

Een tweede wolf begon te huilen. De meeste waren ongevaarlijk, maar soms zat er een bruine tussen, en die vonden mensenvlees maar al te lekker.

Will luisterde even bezorgd; toen praatte hij weer verder tegen Clara.

Vos stak haar neus in de lucht. 'We moeten gaan,' fluisterde ze.

'Eerst moet hij haar terugsturen,' antwoordde Jacob.

Vos keek hem aan. Ogen van amber.

'Neem haar mee.'

'Nee!'

Ze zou hen alleen maar ophouden, en Vos wist net zo goed als hij dat zijn broertje niet veel tijd meer had. Al had hij dat Will zelf nog niet verteld.

Vos draaide zich om.

'Neem haar mee!' zei ze nog een keer. 'Je broer zal haar nodig hebben. En jij ook. Of vertrouw je mijn neus soms niet meer?'

Met die woorden verdween ze in het donker, alsof ze geen zin meer had om op hem te wachten.

HOOFDSTUK 7

Het huis van de heks

Een oerwoud van boomwortels, doornen en bladeren. Woudreuzen en jonge bomen die zich uitstrekten naar het licht, dat al te spaarzaam door het dichte bladerdak viel. Zwermen dwaallichtjes boven stinkende poelen. Open plekken waarop vliegenzwammen giftige cirkels vormden. Jacob was vier maanden geleden voor het laatst in het Donkere Bos geweest, op zoek naar een mensenzwaan die een hemd van brandnetels over zijn veren droeg. Maar na drie dagen had hij zijn zoektocht gestaakt, omdat hij onder de donkere bomen geen lucht meer kreeg.

Ze bereikten de bosrand pas rond het middaguur, want Will had aan één stuk door pijn. Het steen woekerde inmiddels ook in zijn hals, al deed Clara net alsof ze het niet zag.

Liefde maakt blind; ze leek per se te willen bewijzen dat het spreekwoord waar was. Ze week niet van Wills zij en sloeg een arm om hem heen als het steen weer verder groeide en Will in zijn zadel ineenkromp van de pijn. Maar als ze zich onbespied waande, zag Jacob de angst ook in haar ogen. Op haar vraag wat hij van het steen wist, had hij haar dezelfde leugens opgedist als zijn broertje: dat alleen Wills huid veranderde en dat het een koud kunstje was om hem beter te maken. Het was niet moeilijk geweest om haar te overtuigen. Ze geloofden zijn geruststellende leugens allebei maar al te graag.

Clara kon beter paardrijden dan Jacob had verwacht. Onderweg had hij op een markt een jurk voor haar gekocht, maar nadat ze tevergeefs geprobeerd had met haar wijde rok op haar paard te klimmen, had ze hem gevraagd de jurk te ruilen voor mannenkleren. Een meisje in mannenkleren en het steen op Wills huid – Jacob was blij toen ze de dorpen en wegen achter zich lieten en bij de bomen kwamen, ook al wist hij wat hun daar te wachten stond. Bastbijters, zwammers, vallenzetters, kraaienmannetjes – het Donkere Bos kende veel ongastvrije bewoners, al deed de keizerin al jaren haar best om het van zijn verschrikkingen te ontdoen. Ondanks alle gevaren bestond er een levendige handel in de hoorns, tanden en huid van de bosbewoners. Jacob had nooit op die manier zijn geld verdiend, maar veel mensen leefden er goed van: vijftien zilveren daalders voor een zwammer (twee daalders extra als hij vliegenzwamgif spuugde), dertig voor een bastbijter (niet veel als je bedacht dat de jacht levensgevaarlijk was) en wel veertig voor een kraaienmannetje (die de jager zijn ogen konden kosten).

Veel bomen begonnen hun bladeren al te verliezen, maar

het loofdak was nog steeds zo dicht dat de dag overging in een herfstig schemerdonker. Algauw moesten ze afstijgen omdat de paarden verstrikt raakten in het doornige kreupelhout. Jacob drukte Will en Clara op het hart om van de bomen af te blijven, maar zodra Clara de glinsterende pareltjes zag, die een bastbijter als lokaas op een eik had achtergelaten, vergat ze zijn waarschuwing. Jacob kon het mormel nog net van haar pols plukken voor hij in haar mouw kroop.

'Dit hier,' zei hij, terwijl hij de bastbijter zo dicht bij haar gezicht hield dat ze de scherpe tandjes tussen de korstige lippen zag zitten, 'is een van de redenen waarom jullie van de bomen moeten afblijven. Van zijn eerste beet word je duizelig, van de tweede raak je verlamd, en terwijl jij nog bij je volle verstand bent, nodigt hij zijn hele familie uit om van je bloed te komen drinken. Geen prettige manier om dood te gaan.'

Snap je nu dat je haar terug had moeten sturen?

Will las het verwijt in Jacobs ogen toen hij Clara naar zich toe trok. Maar vanaf dat moment was ze voorzichtiger. Toen het bedauwde net van een vallenzetter zich voor hen over het pad spande, was het Clara die Will op tijd tegenhield, en ze joeg de goudraven weg die vloeken in hun oor probeerden te krassen.

En toch. Ze hoorde hier niet thuis. Nog minder dan zijn broer. Ze was in deze wereld als een valse noot in een vertrouwd lied.

Vos keek naar hem om.

Hou op, waarschuwde haar blik. *Ze is er nu eenmaal, en ik zeg het je nog één keer: hij zal haar nodig hebben.*

Vos. Zijn behaarde schaduw. De dwaallichtjes die in zwermen tussen de bomen hingen hadden met hun gezoem zelfs

Jacob al vaak hopeloos laten verdwalen, maar Vos sloeg ze als lastige vliegen uit haar vacht en liep onverstoorbaar voorop. Na drie uur doemde tussen de eiken en essen de eerste heksenboom op. Jacob waarschuwde Clara en Will juist voor de takken – die hadden het vaak op mensenogen voorzien – toen Vos abrupt bleef staan.

Het geluid werd bijna overstemd door het gezoem van de dwaallichtjes. Het klonk als het knippen van een schaar. Het klonk als niets bijzonders. Will en Clara hoorden het niet eens. Maar de haren van Vos gingen rechtovereind staan en Jacob bracht zijn hand naar zijn sabel. Hij kende maar één bosbewoner die zo'n geluid maakte, en dat was precies degene die hij in geen geval tegen het lijf wilde lopen.

'We moeten opschieten,' fluisterde hij tegen Vos. 'Hoe ver is het nog naar dat huis?'

Knip, knip. Het kwam steeds dichterbij.

'Het gaat erom spannen,' fluisterde Vos terug.

Het knippen verstomde, maar de plotselinge stilte klonk net zo dreigend. De vogels floten niet meer. Zelfs de dwaallichtjes waren verdwenen. Vos keek bezorgd om zich heen, waarna ze zo snel doorliep dat de paarden haar in het dichte kreupelhout amper konden bijhouden.

Het werd donkerder in het bos, en Jacob haalde de zaklamp die hij uit de andere wereld meegenomen had uit zijn zadeltas. Steeds vaker moesten ze uitwijken voor een heksenboom. Sleedoorn nam de plaats in van eiken en essen. Dennen smoorden het schaarse licht tussen hun zwartgroene naalden.

De paarden steigerden zodra ze het huis tussen de bomen zagen opdoemen.

Toen Jacob hier jaren geleden met Chanute was, had het rood van de dakpannen fel door de bomen geschenen, alsof de heks ze had ingesmeerd met kersensap. Nu waren ze bedekt met mos, en de verf bladderde van de raamkozijnen, maar aan de muren en het schuine dak plakte hier en daar nog peperkoek. Aan de dakgoot en de vensterbanken hingen suikerpegels, en het hele huis rook naar kaneel en honing, zoals elke goede val voor kinderen. De heksen hadden vaak geprobeerd hun kinderenetende soortgenoten uit hun clan te verstoten, en twee jaar geleden hadden ze hun uiteindelijk de oorlog verklaard. De heks die vroeger het Donkere Bos onveilig maakte, sleet naar verluidde nu haar dagen als wrattige pad in een zompig moeras.

Aan het smeedijzeren hek rond haar huis kleefden nog wat kleurige snoepjes. Jacobs merrie sidderde toen hij haar erdoor leidde. Het hek van een peperkoekhuisje liet iedereen binnen, maar niemand kwam er meer uit. Bij hun laatste bezoek had Chanute het hek dan ook wijd open laten staan. Op dit moment maakte Jacob zich echter meer zorgen om dat wat hun op de hielen zat dan om het verlaten huis. Zodra hij het hek achter Clara dichtdeed, was het knippen weer duidelijk te horen, en deze keer klonk het bijna nijdig. Het kwam ook niet meer dichterbij, en Vos keek Jacob opgelucht aan. Het was zoals ze gehoopt hadden: hun achtervolger was geen vriend van de heks geweest.

'En als hij op ons blijft wachten?' fluisterde Vos.

Ja, wat dan, Jacob? Het kon hem niet schelen. Zolang de struik die Chanute beschreven had nog maar achter het huis stond.

Will had de paarden naar de put gebracht en liet de roestige emmer neer om ze te laten drinken. Hij bekeek het peperkoekhuisje alsof het een giftige plant was. Maar Clara ging met haar hand over het suikergoed en leek haar ogen niet te geloven. *Knibbel knabbel knuisje, wie knabbelt er aan mijn huisje…* Welke versie van het verhaal had Clara gehoord? *Toen greep ze Hans met haar knokige hand beet en droeg hem naar een klein hok met een traliedeurtje en sloot hem daarin op. Hij kon schreeuwen wat hij wilde, het hielp geen zier.*

'Pas op dat ze niet van de koek eet,' zei Jacob tegen Vos, en hij ging op zoek naar de bessen.

Achter het huis stonden de brandnetels zo hoog dat het leek alsof ze de wacht hielden rond de tuin van de heks. Ze prikten in zijn armen en benen, maar hij baande zich een weg door de giftige bladeren tot hij tussen dollekervel en doodkruid vond wat hij zocht: een onopvallend struikje met geveerde blaadjes. Jacob nam net een handvol van de besjes toen hij achter zich voetstappen hoorde.

Tussen de verwilderde bloembedden stond Clara.

'Monnikskap. Dalkruid. Dollekervel.' Ze keek hem vragend aan. 'Dat zijn allemaal giftige planten.'

Kennelijk leerde een student medicijnen ook wel eens iets nuttigs. Will had hem al tien keer verteld hoe hij haar in het ziekenhuis had ontmoet. Op de afdeling waar hun moeder was opgenomen. *Toen jij er niet was, Jacob.*

Hij richtte zich op. Uit het bos kwam weer dat knippende geluid.

'Soms heb je gif nodig om iemand beter te maken,' zei hij. 'Dat hoef ik jou vast niet te vertellen. Al leer je over deze planten vast nooit iets.'

Hij liet de zwarte vruchtjes in haar hand vallen.

'Hier moet Will er een dozijn van innemen. Voor de zon opkomt moeten ze hun werk gedaan hebben. Zorg dat hij in het huisje wat gaat slapen. Hij heeft al in geen dagen een oog dichtgedaan.'

Goyl hadden weinig slaap nodig. Een van de vele voordelen die ze hadden ten opzichte van mensen.

Clara keek naar de bessen in haar hand. Er brandden duizend vragen op haar lippen, maar ze stelde ze niet. Wat had Will haar over hem verteld? Ja, ik heb een broer? Maar hij is al heel lang een vreemde voor me?

Ze draaide zich om en bleef stil staan luisteren. Nu had ook zij het knippen gehoord.

'Wat is dat?' vroeg ze.

'Ze noemen hem de Kleermaker. Hij durft het hek niet door, maar zolang hij er is kunnen we niet weg. Ik ga proberen hem te verjagen.' Jacob haalde de koperen sleutel uit zijn rugzak. 'Het hek laat jullie er niet meer uit, maar met deze sleutel krijg je elk slot open. Zodra ik buiten ben gooi ik hem over het hek, voor het geval ik niet terugkom. Vos brengt jullie terug naar de ruïne. Maar maak het hek niet open voor het licht wordt.'

Will stond nog steeds bij de put. Toen hij naar Clara toe liep, struikelde hij van vermoeidheid.

'Laat hem niet in de kamer met de oven slapen,' fluisterde Jacob. 'Van de lucht daar krijg je nachtmerries. En pas op dat hij niet achter me aan komt.'

Will at de bessen zonder aarzelen op. Het tovermiddel dat alles goedmaakte. Als kind al had hij veel makkelijker in zulke wonderen geloofd dan Jacob. Zijn vermoeidheid was hem aan te zien, en hij liep zonder protest met Clara mee naar het peperkoekhuisje. Achter de bomen ging de zon onder; de rode maan hing als een bloedige vingerafdruk boven de kruinen. Als de zon hem morgen kwam aflossen, zou het steen in de huid van zijn broertje alleen nog maar een boze droom zijn. Als de bessen tenminste werkten.

Als.

Jacob liep naar het hek en tuurde naar het bos.

Knip, knip.

Hun achtervolger was er nog.

Vos keek bezorgd toe terwijl Jacob naar de merrie liep en Chanutes mes uit de zadeltas haalde. Met kogels kreeg je deze tegenstander niet klein. Het scheen dat die de Kleermaker juist sterker maakten.

Duizend schaduwen vulden het bos, en Jacob dacht tussen de bomen een donkere gestalte te zien staan. *In elk geval helpt hij je de tijd te doden tot het ochtend wordt, Jacob.* Hij stak het mes in zijn riem en haalde de zaklamp uit zijn rugzak. Vos volgde hem naar het hek.

'Je kunt niet naar buiten. Het wordt al donker.'

'Nou en?'

'Misschien is hij morgen wel weg!'

'Waarom zou hij?'

Het hek sprong open zodra Jacob de sleutel in het verroeste slot stak.

Hoeveel kinderhanden hadden daar tevergeefs aan gerammeld?

'Hier blijven, Vos,' zei hij, maar ze liep zonder iets te zeggen met hem mee.

Jacob trok het hek achter zich dicht.

HOOFDSTUK 8

Clara

De eerste kamer was die met de oven. Will keek naar binnen, maar Clara trok hem vlug mee. Het smalle gangetje rook naar koek en marsepein. In de volgende kamer hing over een versleten stoel een damessjaal, met zwarte vogels erop geborduurd. Het bed stond in de laatste kamer. Het was nauwelijks groot genoeg voor hen samen en de dekens waren aangevreten door de motten, maar Will sliep al voor Jacob buiten het hek achter zich dichttrok.

Het steen tekende patronen op zijn huid, precies zoals de schaduwen van het bos dat gedaan hadden. Clara voelde voorzichtig aan het matte groen. Zo koel en glad. Zo mooi en verschrikkelijk tegelijk.

Wat zou er gebeuren als de bessen niet werkten? Zijn broer

kende het antwoord, maar het antwoord maakte hem bang, al wist hij dat heel goed te verbergen.

Jacob. Will had over hem verteld en haar een foto laten zien waarop ze allebei nog klein waren. Jacob had toen al heel anders uit zijn ogen gekeken dan zijn broertje. Zijn blik had niets van Wills zachtheid. Niets van zijn kalmte.

Clara maakte zich los uit Wills armen en legde de deken van de heks over hem heen. Op zijn schouder zat een mot, zwart als een afdruk van de nacht. Het beest vloog op toen Clara zich over Will heen boog om hem te kussen. Hij werd niet wakker. Ze liet hem alleen en ging naar buiten.

Het met peperkoek bedekte huisje, de rode maan boven de bomen – wat ze zag was zo onwerkelijk dat ze zich net een slaapwandelaar voelde. Alles wat ze kende was weg. Alles wat ze zich herinnerde leek verloren. Het enige vertrouwde was Will, maar het vreemde nam al bezit van zijn huid.

Vos was er niet. Natuurlijk niet. Die was met Jacob meegegaan. De sleutel lag vlak achter het hek, zoals hij beloofd had. Clara raapte hem op en voelde aan het gekartelde metaal. De dwaallichtjes zoemden als bijen. In een boom kraste een raaf. Maar Clara lette op een heel ander geluid: het hoge knip, knip dat Jacobs blik had verduisterd en hem het bos weer in had gejaagd. Wat was het dat hen daarbuiten opwachtte? Wat was er zo gevaarlijk dat het huisje van een heks een veilige schuilplaats leek?

Knip, knip. Daar was het weer. Als het happen van stalen tanden. Clara deed een paar stappen achteruit. Lange schaduwen rekten zich uit naar het huis, en ze voelde dezelfde angst als toen ze als kind alleen thuis was en voetstappen hoorde in het trappenhuis.

Ze had toch tegen Will moeten zeggen wat zijn broer van plan was. Als Jacob niet terugkwam, zou hij het haar nooit vergeven.

Hij kwam wel terug.

Hij móést terugkomen.

Zonder hem kwamen ze nooit meer thuis.

HOOFDSTUK 9

De Kleermaker

Kwam hij achter hen aan? Jacob liep langzaam, om de jager die ze hadden aangelokt de kans te geven hem in te halen. Maar alles wat hij hoorde waren zijn eigen voetstappen, het knappen van droge takken onder zijn laarzen, geritsel van bladeren. Waar zat hij? Hij was al bang dat hun achtervolger zijn angst voor heksen opzij had gezet en achter zijn rug door het hek geglipt was, toen hij links van hem plotseling weer dat knippen hoorde. Kennelijk klopte het wat hij over zijn achtervolger gehoord had: voor hij aan zijn bloedige handwerk begon, speelde de Kleermaker graag een tijdje kat-en-muis.

Niemand kon zeggen wie of wat hij precies was. De verhalen over de Kleermaker waren bijna net zo oud als het Donkere Bos zelf. Eén ding wist iedereen: hij heette de Kleermaker omdat hij kleren maakte van mensenhuid.

Knip, knip, snap, snap. Ze kwamen bij een open plek tussen de bomen. Vos keek Jacob waarschuwend aan toen er uit een eik een zwerm kraaien opvloog. Het snip, snap overstemde zelfs het gekras van de vogels. Onder de eik vond de lichtbundel van de zaklamp het silhouet van een man.

Die tastende vinger van licht beviel de Kleermaker helemaal niet. Hij gromde kwaad en sloeg ernaar als naar een lastig insect. Maar Jacob liet het schijnsel verder dwalen: over het bebaarde, met vuil bedekte gezicht, de huiveringwekkende kleren, die op het eerste gezicht van slecht gelooid leer gemaakt leken, en de grove handen die het bloedige werk verrichtten. De vingers van zijn linkerhand liepen uit in brede messen, zo lang als dolken. Die van zijn rechterhand waren net zo lang, maar slank en spits als reusachtige naalden. Aan beide handen ontbrak een vinger – kennelijk hadden ook andere slachtoffers hun huid duur verkocht – maar de Kleermaker leek ze niet te missen. Hij liet zijn moorddadige klauwen door de lucht gaan alsof hij uit de schaduwen van de bomen een patroon knipte en de maat nam voor de kleren die hij van Jacobs huid zou maken.

Vos liet haar tanden zien en kwam grommend naast Jacob staan. Hij duwde haar achter zijn rug en trok met links zijn sabel en met rechts het mes van Chanute.

Zijn tegenstander bewoog zich log als een beer, maar zijn vingers sneden griezelig behendig door de distels. Ondanks zijn uitdrukkingsloze, dode ogen vormde zijn bebaarde gezicht een moordlustig masker, en hij ontblootte zijn gelige tanden alsof hij Jacob ook daarmee zou willen villen.

Eerst sloeg hij met de brede messen naar hem. Jacob weerde ze af met zijn sabel, terwijl hij met zijn mes uithaalde naar de naaldenhand. Hij had met zeker tien dronken soldaten gevochten, met de wachters van betoverde kastelen, struikrovers en een roedel afgerichte wolven, maar dit was vele malen erger. De Kleermaker hakte en stak zo onvermoeibaar op hem in dat Jacob het gevoel had dat hij in een hakselmachine was terechtgekomen.

Zijn tegenstander was niet bijzonder groot, en Jacob was wendbaarder dan hij. Toch voelde hij algauw de eerste japen in zijn schouders en armen. *Kom op, Jacob. Moet je zijn kleren zien! Wil je zo eindigen?* Hij hakte de Kleermaker met zijn mes een naaldenvinger af, maakte van het woedende gekrijs daarna gebruik om op adem te komen – en hief zijn sabel nog net op tijd voor de messen zijn gezicht openhaalden. Twee van de naalden krasten over zijn wang als de nagels van een kat. Een derde boorde zich bijna in zijn arm. Jacob trok zich terug tussen de bomen, zodat de messen boombast raakten in plaats van zijn huid en de lange naalden diep in het hout verdwenen in plaats van in zijn vlees. Maar de Kleermaker bevrijdde zich keer op keer en was onvermoeibaar, terwijl Jacobs armen al zwaar begonnen te worden. Toen een van de messen vlak naast hem in de boombast hakte, sloeg Jacob de Kleermaker nog een vinger af. De Kleermaker huilde als een wolf, maar begon alleen maar woester naar hem te slaan, en uit zijn wond kwam geen bloed.

Je eindigt als een broek, Jacob! Hij raakte buiten adem. Zijn hart ging als een razende tekeer. Hij struikelde over een boomwortel, en voor hij zich weer kon oprichten, stak de Kleermaker een van zijn naalden diep in zijn schouder. De pijn dwong

Jacob op de knieën, en hij had niet genoeg lucht om Vos terug te roepen toen die op de Kleermaker afsprong en haar tanden in zijn been zette. Ze had Jacobs huid al vaak gered, maar nooit zo letterlijk. De Kleermaker probeerde haar af te schudden. Hij was Jacob helemaal vergeten, en toen hij woedend uithaalde om Vos aan zijn messen te rijgen, hakte Jacob zijn onderarm af.

De schreeuw van de Kleermaker galmde door het nachtelijke bos. Hij staarde naar zijn nutteloze stomp en de messenhand die voor hem in het mos lag. Toen draaide hij zich hijgend naar Jacob om. De overgebleven hand kwam met dodelijke kracht op hem af. Drie stalen naalden, drie moorddadige dolken. Jacob voelde ze al bijna in zijn ingewanden, maar voor ze zich in zijn lichaam konden boren, stootte hij zijn mes diep in de borst van de Kleermaker.

Die gaf een grom en drukte zijn hand tegen zijn gruwelijke hemd.

Jacob liet zich naar adem happend tegen de dichtstbijzijnde boom vallen, terwijl de Kleermaker lag te kronkelen in het vochtige mos. Een laatste rochel, toen werd het stil. Maar hoewel de ogen in het vuile gezicht leeg naar de lucht staarden, liet Jacob zijn mes niet vallen. Hij wist niet zeker of er voor de Kleermaker wel zoiets bestond als de dood.

Vos beefde alsof ze door honden achterna was gezeten. Jacob knielde naast haar en keek naar het roerloze lichaam. Hij wist niet hoe lang hij daar zo zat. Zijn huid tintelde alsof hij in glassplinters had liggen rollen. Zijn schouder was verdoofd van de pijn en voor zijn ogen voerden de messen nog steeds hun moordlustige dans uit.

'Jacob!' Vos' stem kwam van heel ver weg. 'Sta op. Bij het huis is het veiliger!'

Hij kon bijna niet overeind komen.

De Kleermaker verroerde zich nog steeds niet.

Het leek een lange weg terug naar het heksenhuis. Toen het eindelijk tussen de bomen opdoemde, stond Clara bij het hek te wachten.

'O god,' mompelde ze toen ze zijn bebloede hemd zag.

Ze haalde water uit de put en waste zijn wonden. Jacob kromp ineen toen haar vingers zijn schouder raakten.

'Dat is een diepe wond,' zei ze, terwijl Vos bezorgd naast haar kwam zitten. 'Ik wou dat er wat meer bloed uit kwam.'

'In mijn zadeltas zit jodium, en iets om een verband mee aan te leggen.' Jacob was blij dat ze vaker wonden had gezien. 'Hoe is het met Will? Slaapt hij?'

'Ja.' En het steen was er nog. Ze hoefde het niet te zeggen.

Jacob zag aan haar dat ze wilde weten wat er in het bos gebeurd was, maar hij wilde er niet meer aan denken.

Ze haalde het jodium uit zijn zadeltas en sprenkelde het over de wond, maar haar bezorgdheid bleef.

'Waarin wentel jij je als je gewond bent, Vos?' vroeg ze.

Vos wees haar een kruid in de tuin van de heks. Clara plukte het uit elkaar en legde het op de wond. Het verspreidde een bitterzoete geur.

'Je bent een geboren heks,' zei Jacob. 'Ik dacht dat Will je in een ziekenhuis had leren kennen.'

Ze glimlachte en zag er ineens heel jong uit.

'In onze wereld werken heksen in het ziekenhuis. Of was je dat soms vergeten?'

Toen Clara Jacobs hemd over zijn verbonden schouder trok, zag ze de littekens op zijn rug.

'Hoe komt dat?' vroeg ze. 'Dat moeten flinke wonden geweest zijn!'

Vos wierp hem een veelbetekenende blik toe, maar Jacob knoopte schouderophalend zijn hemd dicht.

'Dat is al zo lang geleden.'

Clara keek hem nadenkend aan.

'Bedankt,' zei ze, 'voor wat je daarbuiten ook gedaan hebt. Ik ben zo blij dat je terug bent.'

HOOFDSTUK 10

Vacht en huid

Jacob wist te veel over peperkoekhuisjes om onder het geglazuurde dak rustig te kunnen slapen. Hij haalde het tinnen bord uit zijn zadeltas, ging ermee bij de put zitten en wreef het op tot het zich vulde met brood en kaas. Het was geen vijfgangenmenu, zoals bij het tafeltje-dek-je dat hij voor de keizerin had opgespoord, maar het bord paste tenminste makkelijk in een zadeltas.

De rode maan mengde roest door de nacht en het zou nog uren duren voor het licht werd, maar Jacob durfde niet te gaan kijken of het steen in Wills huid al verdwenen was. Vos kwam naast hem zitten en begon haar vacht schoon te likken. De Kleermaker had naar haar geschopt en ze had ook een paar sneetjes opgelopen, maar verder was ze ongedeerd.

Mensenhuid was veel kwetsbaarder dan vacht. Of dan goylhuid.

'Jij moet ook gaan slapen,' zei ze.

'Ik kan niet slapen.'

Zijn schouder deed pijn. Het was alsof hij de krachtmeting tussen de duistere heksenmagie en de vloek van de Zwarte Fee hierbuiten voelde.

'Wat doe je als de bessen werken? Stuur je die twee dan terug?'

Vos deed haar best om onverschillig te klinken, maar Jacob hoorde haar onuitgesproken vraag heel goed. Hij kon Vos nog zo vaak bezweren dat hij van haar wereld hield, ze bleef altijd bang dat hij op een dag in de toren zou klimmen en niet meer terug zou komen.

'Ja, natuurlijk,' zei hij. 'En ze leefden nog lang en gelukkig.'

'En wij?' Vos kroop dicht tegen hem aan, want hij rilde in de koude nachtlucht. 'De winter komt eraan. Misschien kunnen we naar het zuiden gaan, naar Granadia of Lombardia, en daar dat uurglas zoeken.'

Het uurglas dat de tijd tegenhield. Nog maar een paar weken geleden had hij nergens anders aan kunnen denken. De pratende spiegel. Het glazen muiltje. Het spinnewiel dat goud spon... In deze wereld kon je altijd wel weer naar iets op zoek. En meestal vergat hij dan dat het enige wat hij ooit echt had willen vinden spoorloos was.

Jacob pakte een stukje brood en hield het Vos voor. 'Wanneer ben je voor het laatst veranderd?' vroeg hij, toen ze er gulzig naar hapte.

Meteen wilde ze ervandoor gaan, maar hij hield haar tegen. 'Vos!'

Ze probeerde in zijn hand te bijten, maar op dat moment werd de vossenschaduw naast de put langer en langer, en het meisje dat naast Jacob hurkte gaf hem een stevige duw.

Vos. Haar haar was net zo rood als haar vacht, die haar zoveel liever was dan haar mensenhuid. In een lange, dikke bos hing het op haar rug, bijna alsof ze haar vossenvel nog droeg. Ook de jurk die haar met sproeten bezaaide huid bedekte, glansde in het maanlicht als de vacht van de vos, en de stof leek gemaakt van hetzelfde zijdezachte haar.

Ze was de afgelopen maanden volwassen geworden, bijna net zo plotseling als een welp een vos wordt. Maar Jacob zag in haar nog steeds het tienjarige meisje dat op een nacht naast de toren had staan snikken omdat hij langer dan afgesproken in zijn andere wereld was gebleven. Vos was bijna een jaar met hem opgetrokken zonder dat Jacob haar ooit in mensengedaante te zien had gekregen, en keer op keer herinnerde hij haar eraan dat ze die gedaante kwijt kon raken als ze de vacht te lang achter elkaar droeg. Ook al wist hij dat Vos, als ze had moeten kiezen, altijd voor de vacht zou hebben gekozen. Toen ze zeven was had ze een gewonde moervos gered, die door haar twee grote broers met stokken achternagezeten werd. De volgende dag had ze het harige kleed op haar bed gevonden. Het had haar de gedaante geschonken die ze inmiddels als haar ware ik beschouwde, en Vos' grootste angst was dat iemand haar de vacht op een dag weer zou afnemen.

Jacob leunde tegen de put en deed zijn ogen dicht. *Het komt allemaal goed, Jacob.* Maar de nacht duurde eindeloos. Hij voelde dat Vos haar hoofd op zijn schouder legde, en uiteindelijk viel hij in slaap, met naast zich het meisje dat haar huid niet wilde – de huid waar zijn broer zo hard voor moest vechten. Hij sliep onrustig. Zelfs zijn dromen waren van steen. Chanute, de krantenjongen op de markt, zijn moeder, zijn vader... ze verstarden tot beelden die naast de dode Kleermaker stonden.

'Jacob! Wakker worden!'

Vos droeg haar vacht weer. Het eerste ochtendlicht scheen voorzichtig tussen de dennenbomen door. Jacobs schouder deed zo'n pijn dat hij bijna niet overeind kon komen. *Het komt allemaal goed, Jacob. Chanute kent deze wereld als geen ander. Weet je nog hoe hij die heksenvloek bij je uitdreef? Je was al halfdood. En die stiltenbeet? Zijn recept tegen watergeestengif...*

Hij liep naar het peperkoekhuisje. Zijn hart begon bij elke stap sneller te kloppen.

Binnen benam de zoete geur hem bijna de adem. Misschien sliepen Will en Clara daarom zo vast. Clara had haar arm om Will heen geslagen. Het gezicht van zijn broer stond vredig, alsof hij lag te slapen in het bed van een prins en niet in dat van een heks die kinderen opat. Maar in zijn linkerwang vlamde het jade alsof het door zijn aderen vloeide, en de nagels van zijn linkerhand waren al bijna zo zwart als de klauwen die het stenen vlees in zijn schouder hadden gezaaid.

Wat kon een hart toch tekeergaan. Zo erg dat je bijna geen lucht meer kreeg.

Het komt allemaal goed.

Jacob stond naar het steen te staren toen zijn broer wakker werd. Zijn blik zei Will genoeg. Hij voelde aan zijn hals en volgde het steen met zijn vingers omhoog naar zijn wang.

Denk na, Jacob! Maar zijn verstand verdronk in de angst die in de ogen stond van zijn broer.

Ze lieten Clara slapen. Will liep achter Jacob aan naar buiten, als een slaapwandelaar die gevangenzat in een nachtmerrie. Vos deinsde terug toen ze hem zag. De blik die ze Jacob toewierp zei maar één ding.

Verloren.

En precies zo stond Will erbij. Verloren. Hij ging met een hand over zijn verminkte gezicht, en voor het eerst zag Jacob daarin niet het vertrouwen dat Will hem anders zo makkelijk schonk, maar alle verwijten die Jacob ook zichzelf maakte. *Had je nou maar beter opgelet, Jacob... Was je nou maar niet zo ver met hem naar het oosten gereden... Had je maar... Was je maar...*

Will liep naar het raam van het kamertje met de heksenoven en bekeek zijn spiegelbeeld in het donkere glas.

Maar Jacob staarde naar de spinnenwebben die zwart van het roet onder het besuikerde dak hingen. Ze herinnerden hem aan andere webben, net zo zwart, gesponnen om de nacht te vangen. Wat was hij toch een stomkop! Wat had hij bij die heks te zoeken? Het was de vloek van een fee. *Een fee!*

Vos keek hem geschrokken aan.

'Nee!' blafte ze.

Soms wist ze wat hij dacht voordat hij het zelf wist.

'Ze kan hem vast helpen! Ze is tenslotte haar zus.'

'Je kan niet naar haar terug! Nooit meer.'

Will draaide zich om. 'Terug naar wie?'

Jacob gaf geen antwoord. Hij voelde aan het medaillon onder zijn hemd. Zijn vingers herinnerden zich precies hoe hij het bloemblaadje plukte dat hij erin had gestopt. Net zoals zijn hart zich degene herinnerde tegen wie het blaadje hem beschermde.

'Ga Clara wakker maken,' zei hij tegen Will. 'We vertrekken. Het komt allemaal goed.'

Het was een lange tocht, een tocht van vier dagen of meer, en ze moesten sneller zijn dan het steen.

Vos stond hem nog steeds aan te kijken.

Nee, Jacob. Nee! smeekten haar ogen.

Natuurlijk herinnerde zij het zich net zo goed als hij, misschien zelfs beter.

Angst. Woede. Verloren tijd... 'Dat moeten flinke wonden geweest zijn.'

Maar als hij zijn broertje niet kwijt wilde, was dit de enige manier.

HOOFDSTUK 11

Hentzau

De mensengoyl die Hentzau bij de verlaten koetshalte aantrof, kreeg een huid van malachiet. Het donkere groen bedekte al de helft van zijn gezicht. Hentzau liet hem gaan zoals alle anderen die ze gevonden hadden, met de raad in het dichtstbijzijnde goylkamp een veilig heenkomen te zoeken, vóór zijn eigen soortgenoten hem doodsloegen. In zijn ogen schemerde nog geen goud, alleen het besef dat zijn huid niet altijd van malachiet was geweest. De mensengoyl zette het op een lopen alsof er nog een weg terug was, en Hentzau huiverde bij de gedachte dat de fee op een dag wel eens mensenvlees in zijn jaspishuid zou kunnen zaaien.

Malachiet, bloedsteen, jaspis, zelfs de kleur van de koning hadden hij en zijn soldaten gevonden, maar natuurlijk niet het steen dat ze zochten.

Jade.

Oude vrouwen droegen het als talisman om hun hals en knielden in het geheim voor afgodsbeelden die ervan gemaakt waren. Moeders naaiden het in de kleren van hun kinderen om ze te beschermen en onbevreesd te maken. Maar nooit was er een goyl geweest met een huid van jade.

Hoe lang zou de Zwarte Fee hem laten zoeken? Hoe lang moest hij zich nog belachelijk maken, voor zijn soldaten, de koning en zichzelf? Misschien had ze die droom wel verzonnen om hem en Kami'en uit elkaar te drijven. En hij was op pad gegaan, trouw en gehoorzaam als een hond.

Hentzau keek de stille weg af, die in de verte tussen de bomen verdween. Zijn soldaten waren nerveus. De goyl meden het Donkere Bos net zo goed als de mensen. De fee wist dat ook. Het was een spel. Ja, dat was het. Niet meer dan een spel, en hij was het zat haar hond te spelen.

De mot streek op zijn borst neer op het moment dat hij het bevel tot opbreken wilde geven. Het beest klampte zich vast op de plek waar onder het grijze uniform Hentzaus hart klopte, en hij zag de mensengoyl net zo duidelijk als de fee hem in haar droom had gezien.

Het jade schemerde als een belofte door zijn mensenhuid.

Het kon niet waar zijn.

Maar toen baarde de diepte een koning, en in een tijd van groot gevaar verscheen een goyl van jade, geboren uit glas en zilver, die hem onoverwinnelijk maakte.

Bakerpraatjes. In zijn jeugd had hij niets liever gehoord, want ze gaven de wereld betekenis en de hoop op een goede afloop. Een wereld die uiteenviel in boven en onder en die geregeerd werd door goden met week vlees. Maar Hentzau had hun weke vlees aan stukken gereten en geleerd dat ze helemaal geen goden waren – net zoals hij geleerd had dat er in de wereld geen betekenis bestond en niets ooit goed afliep.

Maar daar was hij. Hentzau zag hem heel duidelijk, alsof hij zijn hand maar hoefde uit te steken om het lichtgroene steen in zijn wangen aan te raken.

De jadegoyl. Geboren uit de vloek van de fee.

Was dit haar bedoeling geweest? Had ze al dat stenen vlees alleen maar gezaaid om hem te oogsten?

Wat kan jou dat schelen, Hentzau! Spoor hem op!

De mot spreidde opnieuw zijn vleugels, en hij zag velden waarop hijzelf een paar maanden geleden nog gevochten had. Velden die aan de oostkant van het bos grensden. Hij zocht aan de verkeerde kant.

Hentzau onderdrukte een vloek en sloeg de mot dood.

Zijn soldaten keken hem verbaasd aan toen hij hun bevel gaf weer naar het oosten te rijden, maar ze waren opgelucht dat hij hen niet dieper het bos in stuurde. Hentzau klopte de geplette vleugeltjes van zijn uniform en klom op zijn paard. Zijn soldaten hadden de mot niet gezien en zouden allemaal verklaren dat hij, Hentzau, de jadegoyl zonder hulp van de fee gevonden had. Net zoals hij altijd zei dat Kami'en de oorlog gewonnen had, dat het niet de vloek van zijn onsterfelijke geliefde was geweest.

Jade.

Ze had de waarheid gedroomd.

Of een droom werkelijkheid laten worden.

HOOFDSTUK 12

Zijn soort

Het was al laat in de middag toen ze het bos eindelijk achter zich lieten. Donkere wolken hingen boven velden en weilanden, gele, groene en bruine lapjes die zich uitstrekten tot aan de horizon. De vlierstruiken waren zwaar van de zwarte bessen; tussen de wilde bloemen aan de rand van de weg fladderden elfjes, hun vleugels nat van de regen. Maar de boerderijen die ze passeerden waren verlaten, en op de velden stonden kanonnen te roesten tussen het ongeoogste graan.

Jacob was dankbaar dat de huizen en straten uitgestorven waren, want inmiddels was duidelijk te zien wat zich in Wills vlees nestelde. Sinds ze het bos uit waren regende het, en het groene steen glansde in zijn gezicht als het glazuur van een boosaardige pottenbakker.

Jacob had hem nog steeds niet verteld waar ze naartoe gingen, en hij was blij dat Will er niet naar vroeg. Het was genoeg dat Vos wist wat het doel van hun tocht was: de enige plek ter wereld waar hij gezworen had nooit naartoe terug te keren.

De regen viel algauw zo meedogenloos dat zelfs Vos niets meer aan haar vacht had. Jacobs schouder deed bijna aan één stuk door pijn, alsof de Kleermaker er opnieuw zijn naalden in stak, maar hij hoefde maar naar Will te kijken of hij zette elke gedachte aan rusten uit zijn hoofd. De tijd glipte hun door de vingers.

Misschien was het de pijn die hem onvoorzichtig maakte. Hij keurde de verlaten boerderij aan de kant van de weg nauwelijks een blik waardig, en Vos rook het gevaar pas toen het te laat was. Acht haveloze, maar gewapende mannen. Ze kwamen plotseling uit de kapotgeschoten stallen en hadden hun geweren al op hen gericht voor Jacob zijn pistool kon trekken. Twee van de mannen droegen een uniformjas van de keizerlijken, een derde had het grijze jak aan van de goyl. Plunderaars en deserteurs. Erfenis van de oorlog. Twee mannen hadden trofeeën aan hun riem waarmee ook de soldaten van de keizerin zich graag tooiden: vingers van hun stenen vijanden, in alle kleuren die ze maar konden vinden.

Heel even hoopte Jacob nog dat ze het steen niet zouden zien, want vanwege de regen had Will zijn capuchon diep over zijn hoofd getrokken. Maar een van de acht, een man zo mager als een uitgeteerde wezel, zag de mismaakte hand toen hij Will van zijn paard trok en rukte de capuchon van zijn hoofd.

Clara wilde voor hem gaan staan, maar de man in het goyljak duwde haar ruw opzij. Will veranderde op slag in een vreemde. Het was voor het eerst dat Jacob in de ogen van zijn broer zo'n onverhuld verlangen zag om iemand pijn te doen. Will probeerde zich los te rukken, maar de Wezel gaf hem een klap in zijn gezicht, en toen Jacob zijn hand naar zijn pistool bracht zette de aanvoerder een geweer tegen zijn borst.

Het was een lompe kerel met maar drie vingers aan zijn linkerhand. Zijn versleten jak was bezet met de halfedelstenen die goylofficieren op hun kraag droegen om hun rang aan te geven. Op slagvelden was een rijke buit te halen als de levenden de doden achterlieten.

'Waarom heb je hem niet doodgeschoten?' vroeg hij terwijl hij Jacobs zakken doorzocht. 'Heb je het nog niet gehoord? Sinds ze met die lui onderhandelen krijg je geen beloning meer voor zijn soort.'

Hij haalde Jacobs zakdoek tevoorschijn, maar gelukkig stopte hij hem achteloos terug voor er een gouden daalder in zijn eeltige hand viel. Achter hem glipte Vos de schuur in. Jacob voelde dat Clara smekend naar hem keek, maar wat dacht ze eigenlijk? Dat hij acht man de baas kon?

Drievingers schudde Jacobs geldbuidel in zijn hand leeg en gromde teleurgesteld toen er maar een paar koperen munten in bleken te zitten. De anderen stonden nog steeds strak naar Will te kijken. Ze zouden hem doden. Zomaar, voor de lol. En de vingers van zijn broertje zouden ze aan hun riem hangen. *Doe iets, Jacob! Maar wat? Praten. Tijd winnen. Op een wonder hopen.*

'Ik breng hem naar iemand die hem zijn huid terug kan geven!' De regen stroomde over zijn gezicht en de Wezel porde met zijn geweer in Wills zij. *Blijf praten, Jacob.*

'Hij is mijn broer! Laat ons gaan, en over een week ben ik terug met een zak goud.'

'Ja, vast!' Drievingers knikte naar de anderen. 'Neem ze mee achter de schuur en schiet deze hier door zijn kop. Ik wil zijn kleren wel.'

Jacob duwde de twee die hem wilden grijpen van zich af, maar een derde zette hem een mes op de keel. Hij was gekleed als een boer. Ze waren niet allemaal altijd al rover geweest.

'Wat klets je nou?' siste hij Jacob toe. 'Ze krijgen hun huid nooit meer terug. Ik heb mijn eigen zoon doodgeschoten toen het maansteen op zijn voorhoofd groeide!'

Jacob kreeg bijna geen lucht, zo hard drukte het mes tegen zijn keel. 'Het is de vloek van de Zwarte Fee!' hijgde hij. 'Daarom ben ik op weg naar haar zus. Zij kan die vloek opheffen.'

Die blik in hun ogen. Fee. Eén woord maar. Drie letters, waarin alle magie en alle verschrikkingen van deze wereld besloten lagen.

De druk van het mes nam af, maar het gezicht van de man was vertrokken van woede en hulpeloze pijn. Bijna had Jacob hem gevraagd hoe oud zijn zoon was geweest.

'Niemand gaat zelf naar de feeën,' stamelde een jongen van hooguit vijftien jaar. 'Zij komen jóú halen!'

'Ik weet een manier. Ik ben al een keer bij ze geweest!'

'O ja? Hoe komt het dan dat je niet dood bent?' Het mes spleet zijn huid open. 'Of gek, zoals alle anderen die terugkomen en zich in de eerste de beste vijver verdrinken?'

Jacob voelde dat Will naar hem keek. Wat dacht hij nu? Dat zijn grote broer sprookjes vertelde, net als vroeger, toen ze klein waren en Will moeilijk in slaap kon komen?

'Ze gaat hem helpen,' zei Jacob nog een keer, schor door de druk van het mes op zijn keel. *Maar eerst schieten jullie ons dood. En daar krijg je je zoon niet mee terug.*

De Wezel zette zijn geweer tegen Wills ontsierde wang. 'Naar de feeën! Denk je niet dat hij je in de maling neemt, Stanis? Laten we ze nou maar gewoon doodschieten.'

Hij duwde Will naar de schuur, en twee anderen grepen Clara. *Nu, Jacob. Wat heb je te verliezen?*

Drievingers draaide zich opeens geschrokken om en tuurde langs de stallen naar het zuiden. Boven de regen uit klonk gebries van paarden.

Ruiters.

Ze kwamen over de braakliggende velden, op paarden die net zo grijs waren als hun uniform, en Wills gezicht verried al wie ze waren voordat de Wezel begon te gillen.

'Goyl!'

De boer richtte zijn geweer op Will alsof híj die goyl erbij had gehaald, maar Jacob schoot hem neer voor hij de trekker kon overhalen. Drie van de goyl trokken in volle galop hun sabel. Daar vochten ze nog steeds het liefst mee, al wonnen ze hun veldslagen met geweren. Clara staarde geschokt naar de stenen gezichten – en keek Jacob aan. *Ja, zo wordt hij ook. Hou je nu nog steeds van hem?*

De plunderaars waren hun gevangenen vergeten en zochten dekking achter een omgevallen kar. Jacob duwde Will en Clara naar de paarden.

'Vos!' schreeuwde hij. Hij greep de merrie bij de teugels en keek om zich heen. Waar was ze gebleven?

Twee goyl vielen van hun paard en de rest vluchtte achter de schuur. Drievingers was een uitstekende schutter.

Clara zat al op haar paard, maar Will stond stokstijf naar de goyl te staren.

'Op je paard, Will!' schreeuwde Jacob, terwijl hij zelf op de merrie sprong.

Zijn broer verroerde zich niet.

Jacob wilde naar hem toe rijden, maar op dat moment zag hij Vos de schuur uit komen. Ze hinkte. Jacob zag dat de Wezel zijn geweer hief en schoot hem neer. Op het moment dat hij zijn paard inhield en zich uit het zadel boog om Vos op te tillen, raakte een geweerkolf hem op zijn gewonde schouder. De jongen. Hij hield het leeggeschoten geweer bij de loop vast en haalde opnieuw uit, alsof hij met Jacob ook zijn eigen angst kon verslaan. Jacob had zo'n pijn dat alles wazig werd voor zijn ogen. Hij slaagde erin zijn pistool te trekken, maar de goyl waren hem voor. Ze zwermden achter de schuur vandaan en een van hun kogels trof de jongen in zijn rug.

Jacob pakte Vos en tilde haar in het zadel. Ook Will zat nu op zijn paard, maar hij kon zijn ogen nog steeds niet van de goyl af houden.

'Will!' schreeuwde Jacob. 'Rijden, verdomme!'

Zijn broer keek hem niet eens aan. Hij scheen hem en Clara helemaal vergeten te zijn.

'Will!' gilde Clara met een radeloze blik op de vechtende mannen.

Will kwam pas tot zichzelf toen Jacob zijn paard bij de teugels greep.

'Rijden!' commandeerde hij nog een keer. 'Rijden, en niet omkijken.'

En eindelijk gaf zijn broer zijn paard de sporen.

HOOFDSTUK 13

Het nut van dochters

Verslagen. Therese van Austrië stond voor het raam naar de paleiswachten beneden te kijken. Ze patrouilleerden voor de poort alsof er niets aan de hand was. De hele stad lag erbij alsof er niets aan de hand was. Maar zij had een oorlog verloren. Voor het eerst. En elke nacht droomde ze dat ze verdronk in het bloed. Bloed dat aan het eind veranderde in de lichtrode huid van haar tegenstander.

Haar ministers en generaals waren al een halfuur bezig haar uit te leggen waarom ze verloren had. Ze stonden in haar audiëntiezaal, getooid met de onderscheidingen die zij hun verleend had, en probeerden haar de schuld in de schoenen te schuiven. *De goyl hebben betere geweren. Ze hebben snellere treinen.* Maar de koning met de huid van carneool had deze oorlog gewonnen omdat hij meer verstand had van strategie dan zij allemaal bij elkaar. En omdat hij een geliefde had die voor het eerst in driehonderd jaar de toverkracht van feeën in dienst stelde van een koning.

Voor de poort stopte een koets waar drie goyl uit stapten. Wat gedroegen ze zich toch beschaafd. Ze waren niet eens in uniform. Het zou zo'n voldoening geven om ze naar de binnenplaats te slepen en door de wachten te laten doden, zoals haar grootvader vroeger deed. Maar dit waren andere tijden. Nu waren de goyl degenen die doodden. Ze zouden met haar adviseurs rond de tafel gaan zitten, thee uit zilveren kopjes drinken en over een capitulatieverdrag onderhandelen. De wachten openden de poort en de goyl staken het plein over. De keizerin keerde zich af van het raam.

Ze praatten maar door, al haar nutteloze, met medailles behangen generaals, terwijl haar voorvaderen van de met goudkleurige zijde behangen muren op hen neerkeken. Direct naast de deur hing het portret van haar vader, mager en kaarsrecht als een ooievaar, voortdurend in oorlog met zijn broer in Lotharingen, zoals zij al jaren strijd leverde met diens zoon. Daarnaast hing haar grootvader, die net als de goylkoning ooit een verhouding had gehad met een fee en zich ten slotte uit verlangen naar haar in de keizerlijke lelievijver verdronk. Hij had zich laten portretteren op een eenhoorn, waarvoor zijn lievelingspaard model had gestaan, met een narwalhoorn op zijn voorhoofd. Het was een bespottelijk gezicht en Therese had het schilderij ernaast altijd veel mooier gevonden. Het was een portret van haar overgrootvader en zijn oudste broer, die onterfd was omdat hij de alchemie wat al te serieus had genomen. De schilder had zijn blinde ogen zo realistisch afgebeeld dat haar vader in woede ontstoken was, maar zij had als kind vaak een stoel onder het schilderij geschoven om de littekens rond de dode ogen beter te kunnen zien. Het scheen dat hij blind was geworden bij een poging om zijn eigen hart in goud te veranderen, maar toch was hij van al haar voorvaderen de enige die lachte – daarom had ze als kind zeker geweten dat zijn experiment gelukt was en er inderdaad een gouden hart in zijn borst geklopt had.

Mannen. Allemaal, gek of niet gek. Altijd mannen.

Eeuwenlang hadden ze op de troon van Austrië gezeten, en daar was alleen verandering in gekomen omdat haar vader vier dochters en geen zonen op de wereld had gezet.

Ook zij had geen zoon. En maar één dochter. Ze was niet van plan geweest handelswaar van die dochter te maken, zoals haar vader met haar jongere zusjes had gedaan. Een voor de Kromme Prins in zijn sombere kasteel in Lotharingen, een voor haar van de jacht bezeten neef in Albion, en de jongste versjacherd aan een vorst in het oosten die al twee vrouwen begraven had.

Nee. Ze had haar dochter op de troon willen zetten. Haar portret aan deze muur willen zien, in een gouden lijst, tussen al die mannen. Amalie van Austrië, dochter van Therese, die ervan gedroomd had op een dag ‘de Grote’ genoemd te worden. Maar er was geen andere uitweg, of ze zouden allebei verdrinken in het bloed. Zijzelf. Haar dochter. Haar volk. Haar troon. Deze stad en het hele land, inclusief de stomkoppen die haar nu stonden uit te leggen waarom ze deze oorlog niet voor haar hadden kunnen winnen. Thereses vader zou ze hebben laten terechtstellen, maar wat dan? Hun opvolgers zouden geen haar beter zijn. En hun bloed zou haar niet de soldaten teruggeven die ze verloren had, en ook niet de provincies die nu in handen waren van de goyl, of haar trots die de afgelopen maanden gestikt was in de modder van vier slagvelden.

'Genoeg.'

Eén woord en het werd doodstil in de zaal waar haar overgrootvader al doodvonnissen had ondertekend. Macht. Bedwelmend als goede wijn.

Zoals ze allemaal hun ijdele hoofd bogen. *Moet je ze zien, Therese. Zou het toch niet een voldaan gevoel geven om die hoofden af te hakken?*

De keizerin verschikte haar diadeem van elfenglas, die haar overgrootmoeder nog gedragen had, en wenkte een van de dwergen aan haar schrijftafel. Haar dwergen waren de enige dwergen in het land die nog baarden hadden. Knechten, lijfwachten, vertrouwelingen. Al generaties in dienst van haar familie en nog steeds gekleed in het kostuum dat ze tweehonderd jaar geleden ook al droegen. Een kanten kraag op zwart fluweel en dat bespottelijk wijde broekje. Zo smakeloos als maar kon en volledig uit de mode, maar over traditie viel met dwergen net zomin te discussiëren als met een priester over godsdienst.

'Schrijf op,' beval ze.

De dwerg klom op de stoel. Hij moest op zijn knieën op de gouden zitting gaan zitten. Auberon. Haar favoriet, en de slimste van het hele stel. De hand die hij naar de vulpenhouder uitstak was zo klein als een kinderhandje, maar hij trok er ijzeren kettingen mee kapot zoals haar koks een ei braken.

'Wij, Therese, keizerin van Austrië...' Haar voorvaderen keken misprijzend op haar neer, maar wat wisten zij van koningen die uit de schoot van de aarde geboren waren, en van feeën die mensenhuid in steen veranderden? '...bieden hierbij Kami'en, de koning van de goyl, de hand van onze dochter Amalie, teneinde deze oorlog te beëindigen en vrede mogelijk te maken tussen onze grootse natiën.'

De stilte spatte uiteen alsof ze met haar woorden het glazen huis waarin ze met z'n allen zaten kapotgeslagen had. Maar niet zij had de klap uitgedeeld; dat was de goyl geweest, en nu moest zij hem haar dochter geven.

De keizerin keerde haar generaals de rug toe en hun opgewonden stemmen verstomden. Alleen het ruisen van haar japon volgde haar naar de hoge deuren, die eerder voor reuzen gemaakt leken dan voor mensen. Maar de reuzen waren dankzij de inspanningen van haar overgrootvader zestig jaar geleden al uitgestorven.

Macht. Wijn als je het had. Gif als je het kwijtraakte. Therese voelde het nu al aan haar vreten.

Verloren.

HOOFDSTUK 14

Het doornkasteel

'Maar hij wordt gewoon niet wakker!' De stem klonk angstig. En vertrouwd. Vos.

'Maak je geen zorgen. Hij slaapt alleen maar.' Die stem kende hij ook. Clara.

Wakker worden, Jacob. Vingers streken over zijn gloeiende schouder. Hij deed zijn ogen open en zag de zilveren maan in een wolk verdwijnen, alsof hij zich probeerde te verstoppen voor zijn rode broertje. De maan bescheen de donkere binnenplaats van een kasteel. Hoge ramen weerspiegelden de sterren, maar achter geen ervan was licht te zien. Boven de deuren en in de overwoekerde poorten brandden geen lantaarns. Er renden geen knechten over de binnenplaats, en het plaveisel was bedekt met een dikke laag vochtige bladeren, alsof er in geen jaren geveegd was.

'Eindelijk. Ik dacht dat je nooit meer wakker zou worden.'

Jacob kreunde toen Vos met haar snuit tegen zijn schouder duwde.

'Voorzichtig, Vos!' Clara hielp hem half overeind. Ze had een nieuw verband om zijn schouder gelegd, maar hij had meer pijn dan ooit. De plunderaars, de goyl... Met de pijn kwam alles weer terug, al kon hij zich niet herinneren wanneer hij het bewustzijn verloren had.

Clara richtte zich op. 'Die wond ziet er niet goed uit. Ik wou dat ik pillen uit onze wereld bij me had!'

'Het komt wel weer goed,' zei Jacob, terwijl Vos bezorgd haar kop onder zijn arm stak. 'Waar zijn we eigenlijk?'

'Dit was de enige schuilplaats die ik kon vinden. Er is hier geen mens. Geen levend mens, in elk geval.'

Vos duwde met haar poot de rottende bladerberg uit elkaar. Er kwam een schoen onder vandaan.

Jacob keek om zich heen. Op veel plaatsen lagen de bladeren verdacht hoog, alsof er uitgestrekte lichamen onder schuilgingen.

Waar waren ze?

Jacob moest zich aan de muur vasthouden om overeind te komen, maar liet met een vloek weer los. De stenen waren begroeid met doornranken. Ze zaten overal, als een stekelige vacht die het hele kasteel bedekte.

'Rozen,' mompelde hij. Hij plukte een rozenbottel van de wirwar van takken. 'Naar dit kasteel ben ik al jaren op zoek! Het bed van Doornroosje. De keizerin zou er een vermogen voor betalen.'

Clara liet haar blik ongelovig over de binnenplaats gaan.

'Wie in dat bed slaapt vindt de ware liefde, zeggen ze.' Jacob bekeek de donkere ramen. 'Maar zo te zien is haar prins nooit gekomen.'

Of hij was als een gespietst vogeltje een ellendige dood gestorven tussen de doornranken. Een gemummificeerde hand stak tussen de rozen uit. Jacob schoof er vlug wat bladeren voor, voordat Clara hem in het oog kreeg.

Achter een richel kwam een muisje vandaan getrippeld. Vos zette de achtervolging in, maar bleef al na één sprong jammerend staan.

'Wat is er met je?' vroeg Clara.

Vos likte haar flank. 'Drievingers heeft me geschopt.'

'Laat eens zien.' Clara bukte zich en voelde voorzichtig aan de zijdezachte vacht.

'Werp je vacht af, Vos,' zei Jacob. 'Ze heeft meer verstand van mensen dan van vossen.'

Vos aarzelde, maar uiteindelijk deed ze wat hij zei. Clara keek met grote ogen naar het meisje dat opeens voor haar stond – in een jurk die eruitzag alsof de rode maan hem voor haar gesponnen had.

Wat is dit voor een wereld? vroegen haar ogen toen ze Jacob aankeek. *Als vacht huid en huid steen wordt, wat blijft er dan zoals het is?*

Angst. Verwarring. En betovering. Het stond allemaal op haar gezicht te lezen. Ze deed een stap naar Vos toe en wreef zich over haar armen, alsof ze daar al het begin van een vacht voelde.

'Waar is Will?' vroeg Jacob.

Clara wees naar de toren naast de poort. 'Hij is al zeker

een uur boven,' zei ze. 'Sinds hij ze gezien heeft, heeft hij geen woord meer gezegd.'

Ze wisten allebei over wie ze het had.

Nergens tierden de rozen zo welig als tegen de ronde muren van de toren. De bloemen waren donkerrood, bijna zwart in het donker, en verspreidden een zware, zoete geur, alsof de herfst ze niet deerde.

Jacob wist al wat hij boven in de toren zou aantreffen voor hij de smalle wenteltrap op klom. De doornen haakten zich in zijn kleren en hij moest telkens zijn laarzen uit de stugge takken bevrijden, maar uiteindelijk stond hij voor de kamer waar bijna tweehonderd jaar geleden een fee haar geboortegeschenk had overhandigd.

Het spinnewiel stond naast een smal bed, dat nooit voor een prinses bedoeld was geweest. Het slapende lichaam was bedekt met rozenblaadjes. De vloek van de fee had de prinses in al die jaren niet ouder gemaakt, maar haar huid was net perkament en bijna zo vergeeld als de jurk die ze al tweehonderd jaar aanhad. De glinsterende pareltjes waarmee de jurk versierd was, waren nog even wit als altijd, maar het kant aan de zoom was bruin geworden, net als de bloemblaadjes.

Will stond voor het enige raam, alsof de prins toch nog gekomen was. Toen hij zich omdraaide zag Jacob dat het steen nu ook zijn voorhoofd kleurde, en de ogen van zijn broertje verdronken in goud. De plunderaars hadden het kostbaarste gestolen wat ze hadden. Tijd.

'Niks "en ze leefden nog lang en gelukkig",' zei Will met een blik op de prinses. 'En dit was ook de vloek van een fee.' Hij leunde tegen de ruwe muur. 'Gaat het weer een beetje met je?'

'Ja,' antwoordde Jacob, al was het gelogen. 'En met jou?'

Will gaf niet meteen antwoord. En toen hij eindelijk iets zei, leek zijn stem net zo glad en koud als zijn nieuwe huid.

'Mijn gezicht voelt aan als gepolijste steen. Het wordt elke nacht een beetje lichter om me heen en ik kon je horen lang voordat je de trap op kwam. Ik voel het intussen niet alleen op mijn huid.' Hij zweeg even en wreef over zijn slapen. 'Ik voel het ook vanbinnen.'

Hij liep naar het bed en staarde naar het gemummificeerde lichaam.

'Ik vergat alles. Jou. Clara. Mezelf. Ik wilde alleen nog maar naar ze toe.'

Jacob zocht naar woorden, maar hij vond ze niet.

'Is dat wat er gebeurt? Zeg me de waarheid.' Will keek hem aan. 'Ik kom er niet alleen zo uit te zien als zij, ik wórd ook zoals zij, of niet?'

De leugens lagen al op het puntje van zijn tong – 'Welnee, Will', 'Het komt allemaal goed, Will' – maar Jacob kreeg ze niet over zijn lippen. De blik in Wills ogen hield hem tegen.

'Wil je weten hoe ze zijn?' Will plukte een rozenblaadje uit het stroachtige haar van de prinses. 'Ze zijn boos. Hun boosheid barst als een vlam in je los. Maar ze zijn ook het steen. Ze voelen het in de aarde en horen het ademen onder hun voeten.'

Hij bestudeerde de zwarte nagels aan zijn hand.

'Ze zijn duisternis,' zei hij zacht. 'En hitte. En de rode maan is hun zon.'

Huiverend beluisterde Jacob het steen in de stem van zijn broer. *Zeg iets, Jacob. Maakt niet uit wat.* Het was zo stil in de donkere kamer.

'Jij wordt niet zoals zij,' zei hij. 'Want ik ga er een stokje voor steken.'

'Hoe dan?' Daar was hij weer, die blik, die Will opeens ouder maakte dan hij. 'Is het waar wat je tegen die plunderaars zei? Breng je me naar een andere fee?'

'Ja.'

'Is ze net zo gevaarlijk als de fee die dit gedaan heeft?' Will streelde het perkamenten gezicht van de prinses. 'Kijk naar buiten. In de doornen hangen doden. Denk je dat ik wil dat jij ook zo aan je einde komt?' Maar Wills ogen zeiden iets heel anders. *Help me, Jacob,* zeiden die ogen. *Help me.*

Jacob trok hem bij de dode vandaan.

'De fee die wij gaan opzoeken is anders,' zei hij. *Is dat wel zo, Jacob?* fluisterde een stemmetje in zijn hoofd, maar hij lette er niet op. Alle hoop die hij had legde hij in zijn woorden. En al het optimisme dat zijn broer van hem wilde horen: 'Zij zal ons helpen, Will! Dat beloof ik je.'

Het werkte nog steeds. Hoop ontkiemde bij Will net zo makkelijk als boosheid. Broers. De oudste en de jongste. Niets veranderd.

HOOFDSTUK 15

Week vlees

Drievingers, de man met het slagersgezicht, begon als eerste te praten. Mensen hadden er een handje van om de verkeerde als leider te kiezen. Hentzau herkende zijn lafheid net zo duidelijk als het waterige blauw van zijn ogen. Maar hij had hun wel een paar interessante dingen verteld, dingen die de mot niet aan Hentzau had laten zien.

De jadegoyl was niet alleen. Er was een meisje bij hem, maar wat belangrijker was: hij had een broer die zich kennelijk voorgenomen had het jade bij hem uit te drijven. Als Drievingers de waarheid sprak, was hij van plan met de jadegoyl naar de Rode Fee te gaan. Best een slim idee. De Rode Fee had net zo'n hekel aan haar zwarte zuster als de andere feeën. Maar Hentzau was ervan overtuigd dat ze de vloek niet kon opheffen. De Zwarte Fee was veel en veel machtiger dan de andere.

Geen goyl had het eiland van de feeën ooit gezien, laat staan dat hij het had betreden. Hoewel ze haar verstoten hadden, waakte de Zwarte Fee als vanouds over de geheimen van haar zusters, en iedereen wist dat je hen alleen kon vinden als zij wílden dat je hen vond.

'Hoe wou hij bij haar komen?'

'Dat zei hij er niet bij,' hakkelde Drievingers.

Hentzau knikte naar de enige vrouwelijke soldaat die hij bij zich had. Hij vond het niet prettig om mensen te slaan. Hij kon ze doden als hij wilde, maar hij vermeed het hen aan te raken. Nesser had daar geen problemen mee.

Ze schopte Drievingers midden in zijn gezicht, en Hentzau keek haar streng aan. Haar zus was door mensen gedood, daarom had Nesser de neiging om te overdrijven. Even keek ze koppig terug, maar toen boog ze haar hoofd. Bij hen allen had de haat zich inmiddels als een dun laagje slijm op de huid afgezet.

'Dat zei hij niet!' herhaalde Drievingers. 'Ik zweer het.'

De man was zo grauw en week als een slak. Hentzau wendde zich vol walging af. Hij wist zeker dat de mannen verteld hadden wat ze wisten, en het was hun schuld dat de jadegoyl hem door de vingers geglipt was.

'Schiet ze dood,' zei hij, en hij stapte naar buiten.

De schoten klonken vreemd in de stilte. Als iets wat niet in de wereld thuishoorde. Geweren, stoommachines, treinen – ze kwamen Hentzau nog steeds onnatuurlijk voor. Hij werd oud, dat was het. Al dat zonlicht had hem bijna blind gemaakt. Door het oorlogslawaai waren zijn oren zo slecht geworden dat Nesser haar stem moest verheffen als ze iets tegen hem zei. De koning deed alsof het hem niet opviel, maar hij wist dat Hentzau aan zijn zijde oud geworden was. Zodra ze te horen kreeg dat een paar bandieten de jadegoyl hadden laten ontsnappen, zou de Zwarte Fee er wel voor zorgen dat ieder ander het ook te weten kwam.

Hentzau zag hem weer voor zich: het gezicht half goyl, half mens, de huid dooraderd met het heiligste gesteente dat ze kenden. Hij was het niet. Hij kón het niet zijn. Hij was net zo nep als die houten fetisjen die oplichters van een laagje bladgoud voorzagen, om ze als massief goud aan oude vrouwtjes te verkopen. 'Zie, de jadegoyl is gekomen om de koning onoverwinnelijk te maken. Maar snij niet te diep, anders vind je mensenvlees.' Dat was het natuurlijk. Gewoon de zoveelste poging van de fee om zich onmisbaar te maken.

Hentzau staarde voor zich uit in de vallende avond. Zelfs de duisternis had de kleur van jade.

Maar stel dat je je vergist, Hentzau? Stel dat hij de echte is? Stel dat het lot van je koning in zijn handen ligt? En hij had hem laten lopen.

Toen de verkenner eindelijk terugkwam, kon zelfs Hentzau met zijn troebele ogen aan zijn gezicht zien dat hij het spoor kwijt was geraakt. Vroeger zou hij hem ter plekke geëxecuteerd hebben, maar hij had geleerd de razernij die in hen allemaal sluimerde te beteugelen – al was hij er niet half zo goed in als Kami'en. Zijn enige aanwijzing was nu Drievingers' informatie over de feeën. Wat betekende dat hij zijn trots weer eens moest inslikken en een boodschapper naar de Zwarte Fee moest sturen om haar de weg te vragen. Dat vooruitzicht deed hem meer pijn dan de nachtelijke kou.

'Je gaat dat spoor voor me vinden!' blafte hij tegen de verkenner. 'Zodra het licht wordt. Drie paarden en een vos. Zo moeilijk kan het niet zijn!'

Hij vroeg zich net af wie hij naar de fee moest sturen toen Nesser aarzelend op hem afstapte. Ze was pas dertien jaar. Op die leeftijd waren goyl allang volgroeid, maar de meeste gingen pas op zijn vroegst op hun veertiende het leger in. Ze was niet erg behendig met de sabel en kon ook niet zo goed schieten, maar ze maakte haar tekortkomingen ruimschoots goed met haar onverschrokkenheid. Op haar leeftijd kende je geen angst en dacht je ook zonder feeënbloed in je aderen dat je onsterfelijk was. Hentzau herinnerde het zich nog goed.

'Commandant?'

Dat ontzag in haar jonge stem hoorde hij graag. Het was het beste middel tegen de onzekerheid die de Zwarte Fee telkens in zijn binnenste zaaide.

'Wat?'

'Ik weet hoe je bij de feeën komt. Niet op het eiland... maar in het dal waar je doorheen moet om er te komen.'

'Is dat zo?' Hentzau liet niet merken hoe opgelucht hij was. Hij had een zwak voor het meisje en was daarom des te strenger voor haar. Nesser had net als hij een bruine jaspishuid, maar zoals bij alle vrouwen liepen er bij haar adertjes van amethist doorheen.

'Ik zat bij de escorte die de Zwarte Fee begeleidt als ze op reis gaat. Ik was erbij toen ze de laatste keer naar haar zusters ging. Ze liet ons bij de ingang van het dal wachten, maar...'

Dit was te mooi om waar te zijn. Hij hoefde niet om hulp te smeken, en niemand zou te weten komen dat hij de jadegoyl had laten lopen. Hentzau balde zijn vuisten, maar hield zijn gezicht strak in de plooi.

'Is dat zo?' herhaalde hij zo onverschillig mogelijk. 'Goed. Zeg tegen de verkenner dat jij van nu af aan de weg wijst. Maar wee je gebeente als je verdwaalt.'

'Dat zal niet gebeuren, commandant.' Nessers gouden ogen schitterden vol vertrouwen toen ze haastig wegliep.

Hentzau keek de onverharde weg af in de richting waarin de jadegoyl verdwenen was. Een van de plunderaars had beweerd dat de broer gewond was; ze zouden dus moeten stoppen om te rusten. Zelf kon hij dagen achtereen zonder slaap. Hij zou ze daar opwachten.

HOOFDSTUK 16

Nooit

Het was nog donker toen Jacob hen weer liet opbreken. Hij had eigenlijk dringend slaap nodig, maar zelfs Vos kon hem niet overhalen om langer te rusten, en Clara moest toegeven dat ze blij was dat ze al die slapende doden achter zich kon laten.

Het was een heldere nacht. Fluwelig zwart, bespikkeld met sterren. Bomen en bergen als schaduwbeelden, en naast haar Will, alleen in schijn dichtbij. Zo vertrouwd en toch zo onbekend.

Clara keek naar hem en hij glimlachte naar haar. Maar het was een flauw aftreksel van de lach die ze kende. Het was altijd zo makkelijk geweest om hem aan het lachen te maken. Will gaf zo makkelijk liefde. En het was zo makkelijk om van hem te houden. Niets was ooit zo makkelijk geweest. Ze wilde hem niet kwijt. Maar de wereld om haar heen fluisterde: *hij is van mij*. En ze drongen er steeds dieper en dieper in door – alsof ze eerst het hart ervan moesten vinden voor ze Will weer terugkregen.

Laat hem gaan.

Clara zou het wel uit willen schreeuwen.

Laat hem gaan!

Maar de wereld achter de spiegel trok ook al aan haar. Ze dacht zijn donkere handen op haar lichaam te voelen. 'Wat kom je doen?' fluisterde de onbekende nacht haar toe. 'Wat voor huid moet ik je geven? Wil je een vacht? Wil je steen?'

'Nee,' fluisterde ze terug. 'Ik kom je hart zoeken, en dan geef je hem aan mij terug.'

Maar ze voelde haar nieuwe huid al groeien. Zo zacht. Veel te zacht. En dan die donkere handen die naar haar hart graaiden.

Ze was zo bang.

HOOFDSTUK 17

Een gids die de weg kent

Het was waar wat er over de feeën gezegd werd. Niemand kon bij hen komen als zij het niet wilden. Toen Jacob drie jaar geleden naar hen zocht was het niet anders geweest – en ook toen al bestond er een manier om de feeën toch te vinden.

Je moest de juiste dwerg omkopen.

Een heleboel dwergen pochten dat ze handel dreven met de feeën en voerden vol trots hun lelies in het familiewapen. Velen van hen hadden Jacob belegen verhalen over hun voorouders opgedist en uiteindelijk toegegeven dat het laatste familielid dat een fee te zien had gekregen al ruim honderd jaar dood was. Maar uiteindelijk had een van de dwergen aan het keizerlijke hof de naam Evenaugh Valiant laten vallen.

In die tijd had de keizerin een fortuin aan goud beloofd

aan degene die haar een lelie uit het meer van de feeën bracht, want het verhaal ging dat de geur van de bloemen lelijke meisjes mooi maakte, en de prins-gemaal had zich zeer teleurgesteld getoond over het uiterlijk van zijn enige dochter. Kort daarna was hij omgekomen bij de jacht – boze tongen beweerden dat zijn vrouw daar de hand in had gehad – maar omdat de keizerin altijd al meer waardering had gehad voor de smaak van haar man dan voor hemzelf had ze de beloning niet ingetrokken. Dus was Jacob, die toen al zonder Chanute werkte, op weg gegaan naar Evenaugh Valiant.

Het was niet zo moeilijk geweest om de dwerg te vinden, en in ruil voor een vorstelijk bedrag had hij Jacob inderdaad de weg gewezen naar het dal waarin het eiland van de feeen verscholen lag. Alleen over de wachters had hij niets gezegd – en Jacob had de onderneming bijna met zijn leven bekocht. Valiant verkocht de keizerin de lelie die van haar dochter Amalie een gevierde schoonheid zou maken en was sindsdien een van haar hofleveranciers.

Jacob had zich vaak voorgesteld hoe hij zijn rekening met de dwerg zou vereffenen, maar na zijn terugkeer van de feeen had zijn hoofd niet naar wraak gestaan. Met een andere opdracht had hij veel goud verdiend, en ten slotte had hij de herinnering aan Evenaugh Valiant verdrongen, net als de herinnering aan het eiland, waar hij zo gelukkig was geweest dat hij bijna zichzelf vergeten was. *En? Wat wil dat zeggen, Jacob Reckless?* dacht hij, toen tussen de hagen en velden de eerste dwergenhuisjes opdoemden. Dat wraak meestal geen goed idee is. Toch begon zijn hart sneller te kloppen bij de gedachte dat hij de dwerg terug zou zien.

Inmiddels kon ook de capuchon het steen in Wills gezicht

niet meer verbergen. Jacob besloot hem en Clara met Vos achter te laten, terwijl hij naar Terpevas reed, wat in de taal van de bewoners 'dwergenstad' betekende. In een bosje vond Vos een grot die door herders als onderkomen werd gebruikt. Will liep achter Jacob aan naar binnen, alsof hij popelde om aan het daglicht te ontsnappen. Alleen op zijn rechterwang was nu nog mensenhuid te zien, en het viel Jacob met de dag zwaarder om naar hem te kijken. Het ergste waren zijn ogen. Ze verdronken intussen in goud. Jacob moest steeds harder vechten tegen de angst dat hij de race tegen de klok al verloren had. Soms keek Will hem aan alsof hij vergeten was wie hij voor zich had, en Jacob zag de herinnering aan het verleden dat ze samen deelden in zijn ogen vervagen.

Clara was niet achter hen aan gekomen de grot in. Toen Jacob en Vos weer bij de paarden kwamen, stond ze er zo verloren bij dat Jacob haar in haar mannenkleren heel even aanzag voor een van die jongens die je in deze wereld langs alle wegen aantrof, verweesd en op zoek naar werk. Het herfstgras tussen de bomen had dezelfde kleur als haar haar; de andere wereld was haar steeds minder aan te zien. De herinnering aan de straten en huizen waar ze, net als hij, was opgegroeid, aan het licht en het lawaai en aan het meisje dat ze daar geweest was – het was verbleekt, ver weg. Het heden werd in een tel verleden, en de toekomst droeg opeens vreemde kleren.

'Hij heeft niet veel tijd meer.'

Ze sprak het niet uit als een vraag. Ook al maakten de dingen haar bang, ze keek ze recht in het gezicht. Dat vond hij prettig aan haar.

'Je moet naar een dokter,' zei ze, toen Jacob met een van

pijn vertrokken gezicht op zijn paard klom. Alle bloemetjes, blaadjes en wortels die Vos haar gewezen had konden de ontsteking aan zijn schouder niet genezen. Hij rilde inmiddels van de koorts.

'Ze heeft gelijk,' zei Vos. 'Ga naar zo'n dwergendokter. Die schijnen beter te zijn dan de lijfartsen van de keizerin.'

'Ja, als je een dwerg bent. Mensenpatiënten proberen ze alleen maar zo snel mogelijk van hun geld af te helpen, en dan hun graf in. Dwergen hebben geen hoge pet van ons op,' voegde hij eraan toe toen hij Clara's vragende blik zag, 'en dat geldt zelfs voor patiënten die in dienst zijn van de keizerin. Dwergen hebben voor niemand zoveel ontzag als voor een soortgenoot die een mens een poot uitdraait.'

'Maar je kent er toch een die je kunt vertrouwen?'

Vos gromde verachtelijk. 'Vraag hem maar eens hoe hij aan die littekens op zijn rug komt.' Ze streek langs Clara's benen alsof ze een bondgenoot zocht. 'De dwerg die hij bedoelt is de onbetrouwbaarste van het hele stelletje!'

'Dat is lang geleden.'

'Nou en? Waarom zou hij veranderd zijn?' Vos' geërgerde toon kon haar angst niet verhullen, en Clara keek ongerust naar Jacob.

'Laat Vos dan op z'n minst met je meegaan!'

Vos beloonde haar met een teder kopje. Ze zocht Clara's gezelschap steeds vaker op en nam voor haar zelfs regelmatig haar mensengedaante aan.

Jacob wendde zijn paard. 'Nee. Vos blijft hier,' zei hij.

Vos boog zonder te protesteren haar hoofd. Ze wist net zo goed als hij dat Will en Clara niet genoeg van deze wereld begrepen om zich er alleen in te redden.

Toen Jacob in de eerste bocht omkeek, zaten Vos en Clara hem na te kijken. Zijn broer had niet eens gevraagd waar hij naartoe ging. Will verstopte zich voor de dag.

HOOFDSTUK 18

Sprekend gesteente

Will hoorde het gesteente. Hij hoorde het net zo duidelijk als zijn eigen ademhaling. De klanken kwamen uit de wanden van de grot, de ribbelige grond onder zijn voeten en het rotsdak boven zijn hoofd... Trillingen waar zijn lichaam op reageerde alsof hij uit hetzelfde materiaal bestond. Hij had geen naam meer, alleen die nieuwe huid die hem omsloot, koel en beschermend, de nieuwe kracht in zijn spieren en de pijn in zijn ogen als hij het zonlicht in keek.

Hij liet zijn handen over de rots glijden en maakte de leeftijd ervan op uit de richels. Die fluisterden hem in wat er onder het onopvallende grijze oppervlak schuilging: gestreept agaat, wit maansteen, goudgeel citrien en zwart onyx. Ze vormden beelden: van onderaardse steden, versteend water, mat licht dat zich spiegelde in ramen van malachiet...

'Will?'

Hij draaide zich om en de rots zweeg.

Het zonlicht hechtte zich aan het haar van de vrouw in de deuropening alsof zijzelf de zon was.

Clara. Haar gezicht riep herinneringen op aan een andere wereld, waar steen alleen muren en dode straten betekend had.

'Heb je honger? Vos heeft een konijn gevangen en me laten zien hoe je vuur maakt.'

Ze kwam op hem af en nam zijn gezicht tussen haar handen, handen die zo zacht waren, zo kleurloos vergeleken bij het groen dat zich in zijn huid verspreidde. Will huiverde onder haar aanraking, maar hij deed zijn best om het niet te laten merken. Hij hield van haar. Toch?

Als haar huid maar niet zo zacht en bleek was.

'Hoor jij iets?' vroeg hij.

Ze keek hem niet-begrijpend aan.

'Laat maar,' zei hij, en hij kuste haar om te vergeten dat hij er opeens naar snakte amethist in haar huid te vinden. Haar lippen maakten herinneringen wakker: aan een huis zo hoog als een toren, aan nachten die werden verlicht door lampen, niet door het goud in zijn ogen...

'Ik hou van je, Will.' Ze fluisterde alsof ze zo het steen probeerde uit te bannen. Maar de rots fluisterde luider, en Will zou de naam die ze hem gaf het liefst vergeten.

Ik hou ook van jou, wilde hij zeggen, want hij wist dat hij het al zo vaak had gezegd. Maar hij wist niet meer precies wat het betekende, en of je het wel kon voelen met een hart van steen.

'Het komt allemaal goed,' zei ze. Ze streelde zijn gezicht alsof ze door zijn nieuwe huid heen zijn oude vlees probeerde te voelen. 'Jacob is zo terug.'

Jacob. Nog een naam. Er kleefde pijn aan, en hij herinnerde zich dat hij die naam al te vaak in de stilte geroepen had. Stille kamers. Stille dagen.

Jacob. Clara. Will.

Hij wilde ze allemaal vergeten.

Hij duwde de zachte handen weg.

'Nee,' zei hij. 'Blijf van me af.'

Die blik in haar ogen. Pijn. Liefde. Verwijt. Hij had het allemaal al in andere ogen gezien. In de ogen van zijn moeder. Te veel pijn. Te veel liefde. Hij wilde dat allemaal niet meer. Hij wilde steen, koel en solide. Heel anders dan al dat zachte, meegevende, al dat in kwetsbaarheid en tranen zwemmende vlees.

Hij keerde haar de rug toe. 'Ga weg,' zei hij. 'Ga toch weg.'

En hij luisterde weer naar de rots. Liet de beelden op zich af komen. En verstenen wat zacht was in hem.

HOOFDSTUK 19

Valiant

Terpevas, de grootste dwergenstad, was meer dan twaalfhonderd jaar oud, als je de archieven mocht geloven. Maar de reclameborden die op de middeleeuwse stadsmuren bier, brillen en gepatenteerde matrassen aanprezen, maakten elke bezoeker op slag duidelijk dat niemand de moderne tijd serieuzer nam dan de dwergen. Ze waren nors, gehecht aan traditie, inventief, en hoewel de meeste niet eens half zo groot waren als hun klanten, waren hun handelsposten in alle uithoeken van de Spiegelwereld te vinden. Bovendien stonden ze bekend als eersteklas spionnen.

Het verkeer voor de poorten van Terpevas was bijna net zo druk als aan de andere kant van de spiegel, al kwam het lawaai hier van paarden, karren, koetsen die over grijze kinderkopjes bolderden. De klandizie kwam uit alle windrichtingen. De oorlog betekende alleen maar meer handel voor de dwergen. Ze deden al heel lang zaken met de goyl, en de stenen koning had velen van hen tot hofleverancier benoemd. Ook Evenaugh Valiant, voor wie Jacob naar Terpevas kwam, deed al jaren zaken met de goyl, trouw aan zijn gewoonte om altijd op tijd de kant van de winnaar te kiezen.

Nu maar hopen dat die doortrapte kleine ellendeling nog leeft! dacht Jacob, terwijl hij de merrie langs koetsen en karren naar de zuidelijke stadspoort leidde. Het was tenslotte niet ondenkbaar dat Valiant inmiddels door een bedrogen klant om zeep was geholpen.

Drie dwergen hadden op elkaar moeten klimmen om de wachters naast de poort in de ogen te kunnen kijken. Voor hun stadspoorten huurden de dwergen alleen wachters in die konden bewijzen dat ze van de uitgestorven reuzen afstamden. Hoewel ze niet als bijster slim bekendstonden, waren deze reuslingen ook erg in trek als huursoldaat, en de dwergen betaalden zo goed dat ze zelfs bereid waren zich in de ouderwetse uniformen van het dwergenleger te hijsen. Zelfs de keizerlijke cavalerie droeg geen helmen met zwanenveren meer, maar de dwergen kleedden de moderne tijd graag in het vertrouwde kostuum van het verleden.

Jacob reed achter twee goyl aan langs de reuslingen. De een had een huid van maansteen, de ander van onyx. Ze waren niet anders gekleed dan de menselijke fabrikanten die na hen door de poort werden gelaten, maar onder hun lange jassen tekenden zich pistoolkolven af. Hun brede kragen waren afgezet met jade en maansteen, en de donkere brillen waarmee ze hun lichtschuwe ogen beschermden waren van onyx, zo dun geslepen als geen mens het had gekund. De goyl negeerden de afschuw die hun verschijning opriep bij de menselijke bezoekers van de dwergenstad. Het stond op hun gezicht geschreven: deze wereld was van hen. Hun koning had de wereld geplukt als een rijpe vrucht, en degenen die hen nog maar een paar jaar geleden als wilde dieren hadden opgejaagd, begroeven nu hun soldaten in massagraven en smeekten om vrede.

De onyxgoyl zette zijn bril af en keek om zich heen. Zijn in goud gedrenkte blik deed zo aan Will denken dat Jacob zijn paard inhield en hem nastaarde, tot het boze gemopper van een dwergenvrouw, wier piepkleine kindertjes hij de weg versperde, hem weer bij zijn positieven bracht.

Dwergenstad, gekrompen wereld.

Jacob bracht de merrie onder in een van de huurstallen naast de muur. De hoofdwegen van Terpevas waren net zo breed als de straten in mensensteden, maar daarachter bleek uit alles dat de bewoners amper groter waren dan kinderen van zes. Sommige straatjes waren zo smal dat Jacob er zelfs te voet niet goed door paste. De steden van de Spiegelwereld groeiden als kool en Terpevas was geen uitzondering. De rook van ontelbare kolenkachels kleurde ramen en muren zwart, en de stank die in de koude herfstlucht hing kwam niet van rottende bladeren, al was de riolering van de dwergen altijd nog beter dan die van de keizerin. Met elk jaar dat Jacob er doorbracht, leek de wereld achter de spiegel zich meer in te spannen om zijn tweelingbroer aan de andere kant naar de kroon te steken.

Met zijn beperkte kennis van het dwergenalfabet kon Jacob de straatnaambordjes nauwelijks lezen, en algauw was hij hopeloos verdwaald. Toen hij zijn hoofd voor de derde keer tegen het uithangbord van dezelfde kapper stootte, hield hij een boodschappenjongen aan en vroeg naar het huis van Evenaugh Valiant, im- en exporteur van rariteiten aller aard. De jongen, die net tot aan zijn knieën kwam, blikte nors omhoog, maar toen Jacob twee koperen munten in zijn handje liet vallen keek hij meteen een stuk vriendelijker. Het kleine kereltje ging er zo snel vandoor dat Jacob hem in de drukke straatjes maar met moeite kon bijhouden. Uiteindelijk bleef hij staan voor de deur waar Jacob zich drie jaar geleden ook al eens door geperst had.

Valiants naam stond in gouden letters op de matte ruit en Jacob moest, net als toen, diep bukken om door de deuropening te passen. Evenaugh Valiants ontvangkamer was daarentegen zo hoog dat mensen er net rechtop in konden staan. Aan de muren hingen foto's van zijn belangrijkste klanten. Inmiddels liet men zich ook achter de spiegel fotograferen in plaats van schilderen, en niets illustreerde Valiants koopmansgeest beter dan het feit dat het portret van de keizerin naast dat van een goylofficier hing. De lijsten waren van maanzilver, en aan het plafond hing een lamp die ingelegd was met glazen djinnhaartjes. Het ding moest de dwerg een vermogen gekost hebben. Alles wees erop dat de zaken goed gingen. In plaats van de chagrijnige dwergenvrouw die Jacob bij zijn laatste bezoek begroet had, zaten er nu twee klerken.

De kleinste keek niet eens op toen Jacob voor het amper kniehoge schrijftafeltje bleef staan, en de andere bekeek hem met de minachting waarmee dwergen altijd alle mensen begroetten, al deden ze nog zulke goede zaken met hen.

'Ik neem aan dat de heer Valiant nog steeds handel drijft met de feeën?'

'Zeer zeker. Maar mottencocons zijn op het moment niet leverbaar.' Hij had een verrassend lage stem, zoals veel dwergen. 'Komt u over drie maanden nog maar eens terug.'

Met die woorden boog de klerk zich weer over zijn paperassen. Maar zijn hoofd schoot omhoog toen Jacob met een zacht klikje de haan van zijn pistool spande.

Jacob schonk hem zijn vriendelijkste glimlach. 'Ik kom niet voor mottencocons. Zou u mij allebei willen volgen naar die kast daar?'

Dwergen waren berucht om hun kracht, maar dit waren twee nogal spichtige exemplaren, en Valiant betaalde kennelijk niet zo goed dat ze het risico wilden lopen om door de eerste de beste mens te worden doodgeschoten. Ze lieten zich zonder protest in de kast opsluiten. De kast zag er stevig uit; de kans leek klein dat ze tijdens Jacobs gesprek met hun werkgever de dwergenpolitie erbij zouden roepen.

Het wapen op de deur van Valiants kantoor verbeeldde boven de feeënlelie het wapendier van de Valiants: een das op een berg gouden munten.

De deur was van rozenhout, een materiaal dat niet alleen bekendstond om zijn hoge prijs maar ook om zijn geluiddichtheid. Valiant had van de gebeurtenissen in zijn ontvangkamer dan ook niets gemerkt. Hij zat achter een mensenbureau, waarvan hij de poten had laten inkorten, en pafte met gesloten ogen een sigaar die zelfs voor een reus fors zou zijn geweest. Hij had zijn baard afgeschoren, wat sinds kort mode was onder dwergen. Zijn borstelige dwergenwenkbrauwen waren zorgvuldig getrimd en zijn maatpak was van fluweel, een stof waar dwergen dol op waren. Jacob had hem met liefde uit zijn wolfslederen fauteuil geplukt en uit het raam gegooid, maar de herinnering aan Wills versteende gezicht weerhield hem ervan.

'Ik zei toch, niet storen, Banster!' De dwerg zuchtte zonder zijn ogen open te doen. 'Gaat het nou alweer over die opgezette watergeest die zo nodig geruild moet worden?'

Hij was dikker geworden. En ouder. Zijn rode kroeshaar begon al grijs te worden, een beetje vroeg voor een dwerg. De meeste werden minstens honderd jaar en Valiant was nog geen zestig – als hij tenminste niet ook over zijn leeftijd loog.

Jacob richtte zijn pistool op de kroeskop. 'Nee, ik kom niet voor een opgezette watergeest,' zei hij. 'Maar ik heb drie jaar geleden betaald voor iets wat ik niet gekregen heb.'

Valiant stikte bijna in zijn sigaar en staarde sprakeloos naar Jacob, de man die hij had achtergelaten in gezelschap van een kudde agressieve eenhoorns.

'Jacob Reckless!' hijgde hij.

'Kijk eens aan, je weet nog hoe ik heet.'

De dwerg liet zijn sigaar vallen en stak een hand onder zijn bureau, maar toen Jacob met zijn sabel de mouw van zijn maatpak openreet, trok hij zijn korte vingertjes met een gil terug.

'Kijk uit wat je doet,' zei Jacob. 'Je hebt geen armen nodig om mij naar de feeën te brengen. En ook geen oren en geen neus. Handen achter je hoofd. En snel een beetje!'

Valiant gehoorzaamde – en begon veel te breed te grijnzen.

'Jacob!' zei hij poeslief. 'Wat heeft dit te betekenen? Ik wist best dat je niet dood was. Het verhaal heeft tenslotte uitgebreid de ronde gedaan. Jacob Reckless, de gelukkige sterveling die een jaar lang de gevangene van de Rode Fee was. Elk mannelijk wezen in dit land, of hij nu dwerg is of mens of goyl, ziet groen van jaloezie bij de gedachte. En geef toe: aan wie had je dat geluk te danken? Aan Evenaugh Valiant! Als ik je voor hun eenhoorns gewaarschuwd had, hadden ze je in een distel of een vis veranderd, zoals elke andere ongenode gast. Maar zelfs de Rode Fee kan geen weerstand bieden aan een man die hulpeloos in zijn eigen bloed ligt!'

Jacob kon niet anders dan bewondering hebben voor deze brutale redenatie.

'Vertel!' fluisterde Valiant zonder een spoor van berouw. 'Hoe was ze? En hoe heb je weer weg weten te komen?'

Bij wijze van antwoord greep Jacob de dwerg bij zijn dure kraag en trok hem achter zijn veel te grote bureau vandaan. 'Dit is mijn aanbod: ik schiet je niet dood, en in ruil daarvoor breng jij mij er nog een keer naartoe. Maar deze keer laat je me zien hoe je langs die eenhoorns komt.'

'Wat?' Valiant probeerde los te komen, maar het pistool bracht hem algauw op andere gedachten. 'Dat is een tocht van zeker twee dagen!' jammerde hij. 'Ik kan hier niet zomaar alles uit mijn handen laten vallen!'

Jacob duwde hem zonder iets te zeggen naar de deur.

In de ontvangkamer zaten de klerken in de kast te fluisteren. Valiant keek boos hun kant op en wipte zijn hoed van de kapstok naast de deur.

'Mijn prijzen zijn de laatste jaren enorm gestegen,' zei hij.

'Ik laat je leven,' antwoordde Jacob. 'Dat is meer dan je verdient.'

Met een meewarig lachje zette Valiant voor de ruit in zijn voordeur zijn hoed recht. Zoals veel dwergen had hij een voorkeur voor zwarte hoge hoeden, waardoor hij een paar centimeter groter leek.

'Zo te horen wil je je oude vlam dolgraag terugzien,' fleemde hij. 'En hoe wanhopiger de klant, hoe hoger de prijs.'

Jacob zette zijn pistool tegen Valiants hoed. 'Vergis je niet,' zei hij, 'deze klant is wanhopig genoeg om je ter plekke neer te schieten.'

HOOFDSTUK 20

Te veel

Vos rook gouden afschuw, steen geworden walging, bevroren liefde. De ingang van de grot ademde het uit, en haar haren gingen overeind staan toen ze in het gras ervoor Clara's spoor vond. Ze had meer gestrompeld dan gelopen, en het spoor leidde naar de bomen achter de grot. Vos had gehoord dat Jacob Clara voor die bomen waarschuwde, maar ze was eropaf gegaan alsof hun onheilspellende schaduwen precies waren wat ze zocht.

Haar geur was net Vos' eigen geur als ze haar vacht aflegde. Meisje. Vrouw. Zoveel kwetsbaarder. Sterk en zwak tegelijk. Hart zonder bolster. De geur sprak van alles wat Vos vreesde en waartegen haar vacht haar beschermde. Clara's haastige voetstappen schreven het in de donkere aarde, en

Vos volgde haar spoor alsof ze dat van haarzelf volgde.

Ze hoefde niet aan haar neus te vragen waarom Clara zo'n haast had. Pijn. Zelf had ze ook wel eens geprobeerd daarvoor weg te lopen.

De hazelaars en wilde appelbomen waren onschuldig, maar daartussen staken stammen uit het struikgewas met basten zo ruw als de schil van een kastanje. Vogelbomen, waaronder het zonlicht verkleurde tot een naargeestig bruin. Clara was een ervan recht in de houten armen gelopen. Ze riep om Jacob, maar die was ver weg. De boom had zijn wortels om haar enkels en polsen geslagen; zijn gevederde dienaren, met hun vleugels zo wit als verse sneeuw, streken al op haar neer. Vogels met spitse snavels en oogjes als rode bessen.

Vos sprong er met ontblote tanden tussen, doof voor hun woedende gekrijs, en greep een van de vogels voor hij zich tussen de takken in veiligheid kon brengen. Ze voelde zijn hartje tekeergaan tussen haar kaken. Ze beet niet door, ze hield het beest alleen stevig vast, heel stevig, net zolang tot de boom Clara boos krakend losliet.

De wortels gleden als slangen van haar trillende ledematen, en terwijl Clara met moeite overeind kwam kronkelden ze alweer terug onder de bruine herfstbladeren, waar ze op hun volgende slachtoffer zouden wachten. De andere vogels kwetterden kwaad tussen de takken, spookachtig wit tegen het vergeelde loof, maar Vos hield haar buit stevig tussen haar tanden en liet pas los toen Clara bevend naast haar stond. Haar gezicht was net zo wit als de veertjes die aan haar kleren hingen. Vos rook haar doodsangst, en ook de pijn daaronder, als van een verse wond.

Op weg terug naar de grot zeiden ze bijna geen woord. Op

een bepaald moment bleef Clara staan alsof ze niet verder kon, maar uiteindelijk liep ze toch door. Eenmaal bij de grot keek ze naar de donkere ingang, alsof ze hoopte Will daar te zien staan. Even later draaide ze zich om en ging naast de paarden in het gras zitten. Op een paar kleine wondjes in haar hals en aan haar enkels na was ze ongedeerd, maar Vos zag aan haar dat ze zich schaamde – voor de pijn in haar hart en hoe ze ervoor weggelopen was.

Vos wilde niet dat ze wegging. Ze veranderde van gedaante en sloeg haar armen om haar heen, en Clara drukte haar gezicht in de jurk die zo op de vacht van de vos leek.

'Hij houdt niet meer van me, Vos.'

'Hij houdt van niemand meer,' fluisterde Vos. 'Omdat hij vergeet wie hij is.'

Niemand wist beter dan zij hoe dat aanvoelde. Een andere huid, een ander ik. Maar de vacht die zij gekregen had was zacht en warm. En het steen was hard en koud.

Clara keek om naar de grot.

'Blijf alsjeblieft!' fluisterde Vos, terwijl ze een veertje uit haar haren plukte. 'Jacob gaat hem helpen. Je zult het zien.'

Als hij nu eerst maar eens terugkwam.

HOOFDSTUK 21

Zijns broeders hoeder

Toen Jacob op de grot af reed, kwam Vos hem tegemoet, maar Will en Clara waren nergens te bekennen.

'Nee maar. Loopt die schurftige vos nu nog steeds achter je aan?' sneerde Valiant toen Jacob hem van zijn paard tilde. Hij had de dwerg geboeid met een ketting van zilver, het enige metaal dat dwergen niet als garen kapottrokken.

Hij had niet vreemd opgekeken als Vos Valiants opmerking met een beet beantwoord had, maar ze lette helemaal niet op de dwerg. Er was iets gebeurd. Haar haren stond rechtovereind en in haar vacht hingen witte veertjes.

'Je moet met je broer praten,' zei ze, terwijl Jacob de dwerg aan een boom bond.

'Hoezo?' Hij wierp een bezorgde blik op de grot waarin

Will verstopt zat, maar Vos wees naar de paarden. Daar lag Clara in de schaduw van een beuk te slapen. Haar hemd was gescheurd en Jacob zag bloed in haar hals.

'Ze hebben ruzie gehad,' zei Vos. 'Hij weet niet meer wat hij doet!'

Het steen is sneller dan jij, Jacob.

Jacob vond Will in het donkerste hoekje van de grot. Hij zat op de grond, met zijn rug tegen de rots.

De rollen zijn omgedraaid, Jacob. Vroeger was hij het altijd die iets uitgevreten had en zich in het donker verstopte, in zijn kamer, in het washok, in de werkkamer van zijn vader. *'Jacob, waar zit je?' 'Wat heb je nu weer uitgespookt?'* Altijd Jacob. Maar niet Will. Nooit Will.

De ogen van zijn broer glinsterden in het donker als gouden munten.

'Wat heb je tegen Clara gezegd?'

Will keek naar zijn hand en balde zijn vuist.

'Weet ik niet meer.'

'Klets niet!'

Will had nooit goed kunnen liegen.

'Jij moest haar zo nodig meenemen! Of weet je dat soms ook niet meer?' *Hou op, Jacob.* Maar hij had pijn in zijn schouder en hij was het zat om op zijn broertje te passen.

'Vecht ertegen!' viel hij uit. 'Je kunt er niet altijd maar op rekenen dat ík het voor je doe!'

Will stond langzaam op. Zijn bewegingen waren krachtiger geworden, en het was lang geleden dat hij een kop kleiner was dan Jacob.

'Op jou rekenen?' zei hij. 'Dat heb ik op mijn vijfde al afgeleerd. Jammer genoeg had onze moeder er wat meer tijd voor nodig. En ik mocht al die jaren 's nachts naar haar gehuil luisteren.'

Broers.

Het was alsof ze weer thuis tegenover elkaar stonden. In de brede gang met al die stille kamers en de donkere rechthoek op het behang, waar vroeger de foto van hun vader hing.

'Sinds wanneer is het slim om op iemand te rekenen die er toch nooit is?' Will zei het bijna terloops, maar zijn woorden raakten Jacob als vlijmscherpe glassplinters. 'Je hebt veel met hem gemeen. En niet alleen uiterlijk.'

Will bestudeerde zijn gezicht alsof hij het vergeleek met dat van hun vader.

'Maak je geen zorgen, ik vecht er wél tegen,' zei hij. 'Het is tenslotte mijn huid, niet de jouwe. En ik ben er toch nog? Ik doe wat je zegt. Rij achter je aan. Slik mijn angst weg.'

Vanbuiten kwam Valiants stem. Hij probeerde Vos zover te krijgen dat ze de zilveren ketting losmaakte.

Will knikte naar de uitgang. 'Is dat de gids waar je het over had?'

'Ja.' Jacob dwong zichzelf om naar de vreemde te kijken die eruitzag als zijn broertje.

Will liep naar de uitgang en hield een hand voor zijn ogen tegen het daglicht. 'Het spijt me wat ik tegen Clara gezegd heb,' zei hij. 'Ik ga wel even met haar praten.'

Hij stapte naar buiten. En Jacob stond in het donker en voelde de glassplinters. Alsof Will de spiegel stukgeslagen had.

HOOFDSTUK 22

Dromen

Het was nacht, maar de Zwarte Fee sliep niet. De nacht was te mooi om erdoorheen te slapen. Evengoed zag ze de mensengoyl. Inmiddels droomde ze altijd van hem, of ze nu wakker was of sliep. Haar vloek had zijn huid al grotendeels in jade veranderd. Jade. Groen als het leven zelf. Steen geworden overvloed. Hartsteen, gezaaid door de harteloze. Hij zou zoveel mooier zijn als het jade eenmaal alle mensenhuid vervangen had en hij degene werd die de kleur van zijn huid beloofde. Toekomst, besloten in het verleden. Alles wat verborgen lag in de plooien van de tijd. Alleen dromen wisten ervan, en die vertelden haar oneindig veel meer dan ze mensen of goyl vertelden, misschien omdat tijd niets te betekenen had als je onsterfelijk was.

Ze had op het kasteel met de dichtgemetselde ramen moeten blijven om op bericht van Hentzau te wachten. Maar Kami'en wilde terug naar de bergen waarin hij geboren was, naar de vesting onder de grond. Hij verlangde naar de diepte, zoals zij verlangde naar de nachtelijke hemel of naar witte lelies die op het water dreven – al probeerde ze zichzelf er nog steeds van te overtuigen dat alleen de liefde verzadiging bracht.

Het raam van de trein toonde alleen haar eigen spiegelbeeld: een bleke spookverschijning op een ruit waarachter de wereld veel te snel voorbijgleed. Kami'en wist dat ze zich in treinen net zo onbehaaglijk voelde als onder de grond. Daarom had hij de wanden van haar wagon laten versieren met inlegwerk: bloemen van robijn en bloemen van malachiet, een hemel van lapis lazuli, bergen van jade, en met maansteen had hij het schitterende oppervlak van een meer gecreëerd. Als dat geen liefde was.

De afbeeldingen waren mooi, prachtig mooi, en als ze er even niet meer tegen kon om bergen en velden voorbij te zien schieten alsof ze oplosten in het weefsel van de tijd, streek ze met haar hand over de stenen bloemen. Maar het gedender van de trein deed pijn aan haar oren en al dat metaal om haar heen toverde kippenvel op haar feeënhuid.

Ja. Hij hield van haar. En toch zou hij met dat poppengezichtje trouwen, de mensenprinses met de lege ogen en de schoonheid die ze aan de lelies van de feeën te danken had. Amalie. Haar naam was al net zo kleurloos als haar verschijning. Wat zou ze haar graag doden. Een vergiftigde kam, een jurk die zich in haar vlees vrat terwijl ze rondjes draaide voor haar gouden spiegels. Gillen zou ze, en haar huid kapotkrabben – haar huid die zoveel zachter was dan die van haar bruidegom.

De fee legde haar voorhoofd tegen het koele glas. Ze begreep niet waar die jaloezie vandaan kwam. Het was tenslotte niet voor het eerst dat Kami'en een andere vrouw nam. Geen goyl had maar één keer lief. Niemand had maar één keer lief... Feeën al helemaal niet.

De Zwarte Fee kende de verhalen over haar soortgenoten: wie van een fee hield viel ten prooi aan waanzin; feeën hadden net zomin een hart als dat ze een vader of een moeder hadden. Ze legde een hand tussen haar borsten. Geen hart. Dat klopte in elk geval. Waar kwam dan de liefde vandaan die ze voelde?

Buiten zwommen de sterren als bloesems op een inktzwarte rivier. Goyl waren bang voor water. Hoewel het hun grotten uitsleep en het geluid van druppelend water in hun onderaardse steden net zo vanzelfsprekend was als het geruis van de wind boven de grond, waren ze er zo bang voor dat de zee Kami'ens veroveringstochten een halt toeriep en de koning ervan droomde te kunnen vliegen. Maar vleugels kon ze hem net zomin geven als kinderen. Zij was geboren uit het water dat hij vreesde, en 'moeder', 'vader', 'dochter' of 'zoon' betekende voor haar net zo weinig als 'zuster' of 'broer'.

Het poppengezichtje kon hem óók geen kinderen schenken – tenzij hij zo'n misvormd monster op de wereld wilde zetten dat mensenvrouwen wel eens van zijn soldaten kregen. 'Hoe vaak moet ik het nu nog zeggen? Ik geef niets om haar, maar ik heb deze vrede nodig.' Hij geloofde het zelf woord voor woord, maar zij kende hem beter. Hij wilde vrede, maar nog meer begeerde hij mensenvlees, smachtte hij ernaar een mens tot vrouw te nemen. Ze werd bang van zijn nieuwsgierigheid naar alles wat menselijk was, net zo bang als zijn volk.

Waar kwam de liefde vandaan? Waar was ze van gemaakt? Van steen, zoals hij? Van water, zoals zij?

Het was maar een spel geweest, toen ze naar hem op zoek was gegaan. Een spel met speelgoed dat ze in haar dromen gezien had. De goyl die de mensenwereld aan gruzelementen sloeg en net zo'n minachting had voor regels als zij. De feeën speelden allang niet meer met de wereld. De laatste die dat gedaan had, had nu een huid van boomschors. Toch had ze haar motten naar Kami'en laten zoeken. In de tent waarin ze hem voor het eerst ontmoette rook het naar bloed en naar de dood die ze niet begreep, en toch had ze gedacht dat het maar een spelletje was. Ze had hem de wereld beloofd. Zijn vlees in het vlees van zijn vijanden. En te laat had ze gemerkt wat hij intussen in haar zaaide. Liefde. Het gevaarlijkste gif dat er bestond.

'Je zou vaker mensenkleren moeten dragen.'

Ogen van goud. Lippen van vuur. Hoewel hij al dagen nauwelijks sliep, zag hij er niet moe uit.

De japon van de fee ruiste toen ze zich omdraaide. Mensenvrouwen kleedden zich als bloemen – lagen bloemblaadjes om een sterfelijke, rottende kern. Ze had de japon laten namaken van een schilderij in het kasteel van de dode generaal. Kami'en had er vaak in gedachten verzonken naar staan kijken, alsof het hem een wereld toonde waarnaar hij op zoek was. Er zat genoeg stof in de jurk voor tien japonnen, maar ze hield van het ruisen van de zijde en het koele, gladde gevoel op haar huid.

'Geen nieuws van Hentzau?'

Alsof ze het antwoord niet wist. Maar waarom hadden ook haar motten hem nog niet gevonden? Ze zag hem toch zo duidelijk voor zich. Alsof ze haar hand maar hoefde uit te steken om zijn jadehuid te kunnen voelen.

'Hentzau vindt hem wel. Als hij tenminste bestaat.' Kami'en kwam achter haar staan. Hij twijfelde aan haar dromen, maar niet aan zijn jaspisschaduw.

Hentzau. Nog iemand die ze maar wat graag zou doden. Maar zijn dood zou Kami'en haar nog minder vergeven dan die van zijn aanstaande. Hij had zijn eigen broers gedood, zoals goyl wel vaker deden, maar Hentzau stond hem nader dan een broer. Misschien zelfs nader dan zij.

Hun spiegelbeelden versmolten in het raam van de trein. Ze begon nog steeds sneller te ademen als hij naast haar kwam staan. Waar komt de liefde vandaan?

'Vergeet die jadegoyl en je dromen,' fluisterde hij, terwijl hij haar haren losmaakte. 'Ik schenk je nieuwe dromen. Zeg maar wat je wilt.'

Ze had Kami'en nooit verteld dat ze ook hem het eerst in haar dromen gevonden had. Het zou hem niet aanstaan. Goyl en mensen leefden nu eenmaal niet lang genoeg om te begrijpen dat gisteren net zo goed uit morgen voortkwam als morgen uit gisteren.

HOOFDSTUK 23

In de val

Op het moment dat hij de kloof in reed waardoor hij al eerder bij het dal van de feeën gekomen was, had Jacob het gevoel dat hij zijn eigen verleden binnenging. Drie jaar is een lange tijd, maar alles leek onveranderd: de beek op de bodem van de kloof, de sparren die zich aan de wanden vastklampten, de stilte tussen de rotsen... Alleen zijn schouder herinnerde hem eraan dat er sindsdien veel gebeurd was. Die deed pijn alsof de Kleermaker inderdaad bezig was kleren te naaien van zijn huid.

Valiant zat voor hem op het paard en keek telkens naar hem om, zich zichtbaar verkneukelend dat het zo slecht met hem ging.

'Wat zie jij er verschrikkelijk uit, Reckless!' zei hij, niet voor het eerst en met onverholen leedvermaak. 'En die arme meid zit alweer naar je te loeren. Ze is natuurlijk bang dat je van je paard valt voor haar geliefde zijn huid terug heeft. Maar geen paniek. Als jij dood bent en je broer is een goyl, dan zal ik haar wel troosten. Ik heb een zwak voor mensenvrouwen.'

Zo ging het al sinds ze vertrokken waren, maar Jacob was te verdwaasd om iets terug te zeggen. Zelfs wat Will in de grot tegen hem gezegd had drong niet meer door de pijn en de koorts heen, en behalve voor zijn broertje smachtte hij ook voor zichzelf naar de helende lucht in het feeënrijk.

Het is niet ver meer, Jacob. Je moet alleen nog de kloof door en dan ben je al in hun dal.

Clara reed dicht achter hem, Vos liep naast haar. Will kwam af en toe naast Clara rijden, alsof hij haar wilde laten vergeten wat er in de grot gebeurd was, en dan streden liefde en angst om voorrang op Clara's gezicht. Maar ze reed door. Net als hij. En Will.

En de dwerg kon hen nog steeds verraden.

De zon stond al laag, en tussen de rotsen werden de schaduwen langer. De schuimende beek waar ze langs reden was zo donker dat het leek alsof de nacht ermee de kloof in stroomde. Ze waren net op de helft toen Will opeens zijn paard inhield.

'Wat is er?' vroeg Valiant ongerust.

'Er zijn hier goyl.' Er klonk geen spoor van twijfel door in Wills stem. 'Ze zijn vlakbij.'

'Goyl?' Valiant wierp Jacob een boosaardige blik toe. 'Prima. Ik kan uitstekend met de goyl opschieten.'

Jacob legde een hand op de mond van de dwerg. Hij liet de teugels van zijn paard vieren en luisterde aandachtig, maar het ruisen van de beek overstemde alle andere geluiden. 'Doe alsof jullie de paarden drenken,' zei hij zacht.

'Ik ruik ze ook,' fluisterde Vos. 'Ze zitten voor ons.'

'Maar waarom verstoppen ze zich?' Will rilde als een dier dat zijn roedel op het spoor is.

Valiant bekeek hem alsof hij hem voor het eerst zag – en draaide zich zo abrupt naar Jacob om dat hij bijna van het paard tuimelde.

'Jij sluwe hond,' siste hij. 'Welke kleur heeft het steen in zijn huid? Groen hè?'

'Nou en?'

'Nou en? Denk je soms dat ik achterlijk ben? Dat is jade. De goyl hebben een kilo rode maansteen voor hem uitgeloofd. Je broertje, laat me niet lachen!' De dwerg knipoogde samenzweerderig. 'Je hebt hem gevonden, net als het glazen muiltje en het tafeltje-dek-je. Maar wat heb je in vredesnaam bij de feeën te zoeken?'

Jade.

Jacob staarde naar Wills lichtgroene huid. Natuurlijk had hij de verhalen gehoord. De goylkoning en zijn onoverwinnelijke lijfwacht. Vroeger droomde Chanute ervan hem te vinden en aan de keizerin te verkopen. Maar niemand kon toch in alle ernst geloven dat zijn broer de jadegoyl was?

Aan het eind van de kloof was het mistige dal al te zien.

'Laten we hem naar een van hun vestingen brengen, dan delen we de beloning!' fluisterde Valiant. 'Als ze hem hier in de kloof vangen, krijgen we er niks voor!'

Jacob luisterde niet naar hem. Hij zag Will huiveren.

'Weet je nog een andere route naar het dal?' vroeg hij aan de dwerg.

'Jawel,' antwoordde Valiant vals. 'Als je denkt dat je zogenaamde broer tijd heeft voor omwegen... En dan heb ik het nog niet eens over jou!'

Will keek om zich heen, rusteloos als een gekooid dier.

Clara kwam met haar paard naast Jacob staan. 'Breng hem hiervandaan,' fluisterde ze. 'Alsjeblieft.'

Maar wat dan?

Een paar meter verderop stond een bosje dennenbomen. Onder de takken was het zo donker dat Jacob zelfs van zo dichtbij niet kon zien wat eronder lag.

Hij boog zich naar Will toe en pakte hem bij zijn arm. 'Rij achter me aan naar die dennen daar,' zei hij zacht. 'En als ik afstijg, doe jij dat ook!'

Het was tijd voor verstoppertje. Verstoppertje en een verkleedpartij.

Will aarzelde, maar uiteindelijk nam hij de teugels op en reed achter hem aan.

De schaduwen onder de dennen waren zo zwart als de nacht. Het was een duisternis die, als ze geluk hadden, zelfs goylogen blind zou maken.

'Weet je nog hoe we als kind altijd vochten?' vroeg Jacob voor hij zich uit het zadel liet glijden.

'Jij liet me altijd winnen.'

'Zo doen we het nu ook.'

Vos kwam op Jacob af gerend. 'Wat ben je van plan?'

'Wat er ook gebeurt,' antwoordde hij, 'ik wil dat je bij Will blijft. Beloof het me. Als je dat niet doet, zijn we er allemaal geweest.'

Will steeg af en Jacob liep naar hem toe.

'Ik wil dat je terugvecht, Will,' zei hij. 'En zorg ervoor dat het er echt uitziet. We moeten onder die bomen uit komen.'

En zonder waarschuwing gaf hij zijn broer een stomp in zijn gezicht.

Het goud vatte onmiddellijk vlam.

Will sloeg zo hard terug dat Jacob op zijn knieën viel. Een vuist van steen, en een razernij die hij bij zijn broertje nooit eerder gezien had.

Misschien was dat toch niet zo'n goed plan, Jacob.

HOOFDSTUK 24

De jagers

Hentzau had de kloof bij zonsopkomst bereikt. De grazende eenhoorns in het nevelige dal daarachter lieten er geen twijfel over bestaan dat Nesser hen naar de goede plek gebracht had. Maar nu stond de zon laag aan de hemel; Hentzau begon zich net af te vragen of de jadegoyl misschien toch door zijn broer doodgeschoten was, toen Nesser naar de ingang van de kloof wees.

Ze hadden een meisje en een vos bij zich, precies zoals Drievingers gezegd had, en zo te zien hadden ze een dwerg gegijzeld. Dat was niet dom van ze. Nesser had ook geen idee hoe je langs die eenhoorns kwam, maar Hentzau had wel eens gehoord dat er dwergen waren die het geheim kenden. Hoe dan ook – hij had niet de ambitie om als eerste goyl het behekste feeëneiland te zien. Hij reed nog liever door tien Donkere Bossen, sliep nog liever tussen de blinde slangen die onder de grond leefden. Nee. Hij zou de jadegoyl te pakken nemen vóór hij zich achter de eenhoorns kon verschuilen.

'Commandant, ze zijn aan het vechten!' riep Nesser verbaasd.

Wat had ze dan verwacht? Razernij hoorde bij een stenen huid als het goud in hun ogen. En tegen wie richtte die razernij zich het eerst? Tegen de broer. *Ja, sla hem dood!* dacht Hentzau, terwijl hij de jadegoyl door zijn verrekijker bekeek. *Misschien had je dat al veel eerder willen doen, maar hij was altijd de oudste, de sterkste. Je zult zien: de razernij van de goyl maakt daar korte metten mee.*

De oudste vocht niet slecht, maar hij maakte geen schijn van kans.

Kijk, hij zakte door zijn knieën. Het meisje liep naar de jadegoyl toe en trok hem weg, maar hij rukte zich los, en toen zijn broer probeerde overeind te komen, gaf hij hem zo'n schop tegen zijn borst dat hij achteruit het bosje in wankelde. De zwarte takken onttrokken hen nu aan het zicht, en Hentzau wilde net het bevel geven eropaf te gaan toen de jadegoyl weer tevoorschijn kwam.

Hij kon al niet meer zo goed tegen het zonlicht, en met de capuchon diep over zijn hoofd getrokken liep hij naar zijn paard. Door het gevecht stond hij een beetje onvast op zijn benen, maar straks zou hij merken dat zijn nieuwe vlees zich veel sneller herstelde dan het oude.

'Te paard!' zei hij op gedempte toon tegen Nesser. 'We gaan een sprookje vangen.'

HOOFDSTUK 25

Het lokaas

Rotsen. Struiken. Waar konden ze zich verscholen houden? *Hoe zou jij dat moeten weten, Jacob? Jij bent geen goyl. Misschien had je het aan je broer moeten vragen.*

Hij trok de capuchon dieper over zijn hoofd en dwong zijn paard zijn pas te vertragen. Hoe hadden ze geweten dat ze door de kloof zouden komen? *Niet nu, Jacob.*

Hij wist niet wat méér pijn deed, zijn schouder of zijn gezicht. Mensenvlees was verschrikkelijk kwetsbaar als het met jadevuisten in aanraking kwam. Even had hij echt geloofd dat Will hem zou doodslaan – en hij wist nog steeds niet hoeveel van de woede die er in die slagen had gelegen van zijn broer afkomstig was en hoeveel van de goyl.

Hij dreef Wills paard door de kolkende beek. Het water

spatte op zijn koortsige huid. De hoefslagen galmden door de kloof, en Jacob begon zich al af te vragen of Will niet gewoon zijn eigen stenen vlees geroken had toen links van hem iets bewoog tussen de rotsen.

Nu. Hij liet de teugels vieren. Wills bruine ruin was niet zo snel als zijn eigen merrie, maar het was een sterk dier en Jacob was een goede ruiter.

Ze probeerden hem de pas af te snijden, maar hun paarden deinsden terug voor de losse keien, zoals hij gehoopt had, en de ruin stoof langs hen en galoppeerde het mistige dal in. De herinneringen besprongen Jacob alsof ze tussen de bergen op hem gewacht hadden. Geluk en liefde, angst en dood.

De eenhoorns tilden hun kop op. Natuurlijk waren ze niet wit. Waarom werden de dingen in de wereld waar hij vandaan kwam zo vaak wit gekleurd? Hun vel was bruin of grijs, vlekkerig zwart of vaalgeel als de herfstzon die boven ze dreef in de mist. Ze hielden hem in de gaten, maar gingen nog niet tot de aanval over.

Jacob keek om naar zijn achtervolgers.

Het waren er vijf. De officier herkende hij meteen. Hij was degene die de goyl bij de verlaten boerderij had aangevoerd. Er zat een barst in zijn jaspisbruine voorhoofd, alsof iemand geprobeerd had hem in tweeën te hakken, en een van zijn gouden ogen was melkwit verkleurd.

Ze zaten dus inderdaad achter hen aan.

Jacob boog zich over de paardenhals. De hoeven van de ruin zakten diep weg in het natte gras, maar gelukkig werd hij daardoor nauwelijks langzamer.

Rijden, Jacob. Lok ze weg – voor je broer zich straks nog bij hen aansluit.

De goyl kwamen dichterbij, maar ze schoten niet. Natuurlijk niet. Als ze echt dachten dat Will de jadegoyl was, wilden ze hem levend.

Een van de eenhoorns begon te hinniken. *Niet dichterbij komen, jullie!*

Een blik over zijn schouder. De goyl hadden zich opgesplitst; ze probeerden hem te omsingelen. De wond aan zijn schouder deed zo'n pijn dat alles wazig werd voor zijn ogen, en even dacht Jacob dat hij terugviel in de tijd. Hij zag zichzelf weer met doorboorde rug in het gras liggen.

Sneller. Hij moest sneller zijn. Maar zijn paard hijgde, en de goyl reden allang niet meer op de halfblinde dieren die ze onder de grond fokten. Een van hen kwam al gevaarlijk dichtbij. Het was de officier. Jacob wendde zijn gezicht af, maar de capuchon gleed van zijn hoofd op het moment dat hij ernaar wilde grijpen.

De verbazing op het jaspisgezicht sloeg om in woede, dezelfde woede die Jacob bij zijn broertje had gezien.

Het spel was uit.

Waar was Will? Hij keek gejaagd achterom.

De goylofficier volgde zijn blik.

Met de dwerg voor zich in het zadel galoppeerde zijn broer op de eenhoorns af. Hij reed op Clara's paard en had haar de merrie gegeven. Naast haar golfde het gras alsof de wind erlangs streek. Vos. Bijna net zo snel als de paarden.

Jacob trok zijn pistool, maar zijn linkerhand gehoorzaamde hem amper nog en met de rechter kon hij een stuk minder goed schieten. Desondanks schoot hij twee goyl uit het zadel. Het Melkoog richtte zijn wapen op hem, zijn jaspisgezicht star van haat; hij was zo kwaad dat hij vergat op welke broer hij moest jagen. Zijn paard struikelde in het hoge gras en de kogel miste zijn doel.

Sneller, Jacob. Hij kon nog maar met moeite in het zadel blijven, maar Will was bijna bij de eenhoorns. Jacob bad dat de dwerg deze keer de waarheid gesproken had. *Rij dan door!* dacht hij toen hij Will opeens vaart zag minderen. Maar zijn broer bleef staan, en Jacob wist dat het niet uit bezorgdheid om hem was. Will draaide zich om in het zadel en staarde naar de goyl, precies zoals eerder bij de boerderij.

Het Melkoog herinnerde zich intussen weer op wie hij aan het jagen was. Jacob richtte zijn pistool, maar de kogel schampte de goyl alleen maar. *Die rottige hand ook.*

En Will keerde zijn paard.

Jacob schreeuwde zijn naam.

Een van de goyl was nu bijna bij Will. Het was een vrouw. Amethist in donkere jaspis. Toen Clara met haar paard beschermend voor Will ging staan trok ze haar sabel, maar Jacobs kogel was sneller. De goylvrouw viel op de grond. Het Melkoog slaakte een schorre kreet en gaf zijn paard nog eens extra de sporen. *Een paar meter nog maar.* De dwerg keek vol ontzetting naar de naderende goyl. Clara greep Wills teugels en het paard waar ze al zo vaak op gereden had liet zich gehoorzaam meetrekken.

De eenhoorns hadden de klopjacht onverschillig gadegeslagen, zoals mensen kijken naar een zwerm ruziënde mussen. Met ingehouden adem zag Jacob Clara op de dieren af rijden, maar deze keer had de dwerg zowaar de waarheid gesproken. De eenhoorns lieten Clara en Will door.

Pas toen de goyl dichterbij kwamen vielen ze aan.

Door het dal schalde een schril gehinnik, hoefgetrappel en

het geluid van hoorn op steen. Jacob hoorde schoten. *Vergeet die goyl, Jacob. Ga achter je broer aan!*

Met bonkend hart reed hij op de opgewonden kudde af. Hij kon bijna weer voelen hoe de eenhoorns zijn rug openreten en zijn bloed warm over zijn huid stroomde. *Deze keer niet, Jacob. Doe wat de dwerg zei:* 'Het is heel simpel. Doe je ogen dicht en hou ze dicht, of ze spietsen je als een rotte appel.'

Een hoorn scheerde rakelings langs zijn bovenbeen. Een neus brieste in zijn oor en hij rook paard en hert tegelijk. *Jacob, hou je ogen dicht.* Er kwam geen einde aan de zee van ruige lijven. Zijn linkerarm voelde doods aan en hij moest zich met de rechter aan de hals van het paard vastklampen. Maar opeens hoorde hij in plaats van briesende eenhoorns de wind in duizend bladeren, klotsend water en ruisend riet.

Hij deed zijn ogen open en het was weer net als toen.

Alles was weg. De goyl, de eenhoorns, het mistige dal. In plaats daarvan werd de avondlucht weerspiegeld in een meer. Op het water dreven de lelies die hem drie jaar geleden hierheen gelokt hadden. De blaadjes van de wilgen op de oever waren frisgroen, alsof ze net aan de takken ontsproten waren, en in de verte rees uit de golfjes het eiland op waarvan niemand terugkeerde. *Behalve jij, Jacob.*

De warme lucht liefkoosde zijn huid. De pijn in zijn schouder ebde weg als het water dat tegen de met riet begroeide oever kabbelde.

Hij liet zich van zijn uitgeputte paard glijden. Clara en Vos kwamen al op hem af, maar Will stond op de waterkant naar het eiland te turen. Zo te zien was hij ongedeerd, maar toen hij zich naar Jacob omdraaide schoten zijn ogen vuur; tussen het jade waren slechts nog restjes mensenhuid te zien.

'Daar zijn we dan. Tevreden?' Valiant stond tussen de wilgen de eenhoornharen van zijn mouwen te plukken.

'Wie heeft die ketting losgemaakt?' Jacob probeerde de dwerg te pakken, maar Valiant ontweek hem behendig.

'Vrouwenharten zijn gelukkig een stuk gevoeliger dan dat brok steen dat jij in je borst hebt,' bromde hij, terwijl Clara verlegen naar Jacob keek. 'Nou en? Wind je niet zo op. Nu staan we toch quitte? Die eenhoorns hebben trouwens wel mijn hoed vertrapt.' De dwerg tikte verwijtend tegen zijn onbedekte schedel. 'Die zou je me best mogen vergoeden.'

'Wij staan quitte? Zal ik je de littekens op mijn rug eens laten zien?' Jacob voelde aan zijn schouder. Het was net alsof hij nooit met de Kleermaker gevochten had. 'Maak dat je wegkomt,' zei hij, 'voor ik je alsnog doodschiet.'

'Ach.' Valiant keek spottend naar het eiland, dat langzaam vervaagde in de schemering. 'Ik weet zeker dat jouw naam eerder op een grafsteen staat dan de mijne. Jongedame,' vervolgde hij tegen Clara, 'je kunt beter met mij meegaan. Dit kon wel eens slecht aflopen. Heb je wel eens van Sneeuwwitje gehoord, de mensenvrouw die met een stel dwergenbroeders samenleefde voordat ze het met een voorvader van de keizerin aanlegde? Ze was doodongelukkig met hem en is er uiteindelijk vandoor gegaan. Met een dwerg!'

'O ja?' Clara leek niet echt gehoord te hebben wat de dwerg tegen haar zei. Ze liep naar de oever van het met bloemen bedekte meer alsof ze alles vergeten was – zelfs Will, die maar een paar passen verderop stond. Tussen de wilgen groeiden klokjes, donkerblauw als de avondhemel, en toen ze er een plukte liet de bloem een zacht geklingel horen. Op slag was alle angst en verdriet uit haar gezicht verdwenen. Valiant kreunde getergd.

'Feeënmagie!' mompelde hij vol verachting. 'Ik denk dat ik maar weer eens moest gaan.'

'Wacht!' zei Jacob. 'Er lag hier altijd een bootje op de kant. Waar is dat gebleven?'

Toen hij zich omdraaide was de dwerg al tussen de bomen verdwenen – en Will staarde naar zijn spiegelbeeld op de golfjes. Jacob gooide een steen in het donkere water, maar het beeld van zijn broer was snel weer terug, vervormd dit keer en des te dreigender.

'Ik had je bijna doodgeslagen in de kloof.' Wills stem had inmiddels zo'n rauwe klank dat hij bijna niet meer van een echte goylstem te onderscheiden was. 'Kijk naar me! Wat je hier ook hoopt te vinden, voor mij is het te laat. Geef het nou eindelijk eens toe.'

Clara keek hun kant op. De feeënmagie lag als stuifmeel op haar huid. Alleen Will leek zich er niet van bewust te zijn. *Waar is Will, Jacob? Waar heb je hem gelaten?* Het ritselen van de bladeren klonk als de stem van hun moeder.

Will liep achteruit bij Jacob vandaan, alsof hij bang was hem weer een klap te verkopen.

'Laat me naar ze toe gaan.'

Achter de bomen ging de zon onder. Het laatste licht dreef als gesmolten goud op het water, en de lelies gingen open en verwelkomden de avond.

Jacob trok Will weg bij het water.

'Jij wacht hier op mij,' zei hij. 'Verroer je niet. Ik ben zo terug. Dat beloof ik je.'

Vos drukte zich tegen zijn benen aan en keek met een hoge rug naar het eiland.

'Waar wacht je op, Vos?' zei Jacob. 'Ga dat bootje zoeken.'

HOOFDSTUK 26

De Rode Fee

Vos vond het bootje. Deze keer smeekte ze Jacob niet om haar mee te nemen, maar toen hij instapte, beet ze zo hard in zijn hand dat het bloed langs zijn vingers stroomde.

'Dan vergeet je me tenminste niet!' zei ze kattig, en hij zag aan haar ogen dat ze bang was om hem weer kwijt te raken, net als drie jaar geleden.

De feeën hadden Vos weggejaagd nadat ze Jacob halfdood in hun bos hadden aangetroffen, en toen ze probeerde hem naar het eiland te volgen was ze bijna verdronken. Toch had ze op hem gewacht, een heel jaar lang, terwijl hij haar en al het andere vergeten was. Nu zat ze daar weer, haar vacht zwart in de invallende duisternis, zelfs toen hij al ver het meer op geroeid was. Clara stond tussen de wilgen, en deze keer keek ook Will hem na.

Voor mij is het te laat. Zelfs de golfjes die tegen het smalle bootje klotsten leken het zijn broer na te zeggen. Maar wie anders dan haar zuster zou de vloek van de Zwarte Fee moeten opheffen? Jacob voelde aan het medaillon met het bloemblaadje, dat hij geplukt had op de dag dat hij Miranda verliet. Het maakte hem onzichtbaar voor haar, alsof hij tegelijk met zijn liefde ook het lichaam had afgelegd waarvan zij hield. Een doodgewoon bloemblaadje. Ze had hem zelf verklapt dat hij zich zo voor haar verbergen kon. Als feeën verliefd waren, verraadden ze in hun slaap al hun geheimen. Je moest alleen de juiste vragen stellen.

Gelukkig maakte het blaadje hem ook voor de andere feeen onzichtbaar. Toen hij het bootje op de oever van het eiland tussen het riet verstopte, zag Jacob er vier in het water staan. Hun lange haar dreef op de golven alsof de nacht het zelf gesponnen had. Miranda was er niet bij. Een van hen keek zijn kant op, en Jacob was dankbaar voor het bloementapijt op de grond, waarover hij zo geruisloos liep alsof hij Vos was. Hij had gezien hoe ze mannen in distels of vissen veranderden. De bloemen waren net zo blauw als het klokje dat Clara geplukt had, en ook het medaillon kon Jacob niet beschermen tegen de herinneringen die hun geur opriep. *Pas op, Jacob!* Hij drukte op de bloedige afdruk van Vos' tanden in zijn hand.

Algauw zag hij het eerste van de webben die de motten van de feeën tussen de bomen sponnen, tenten ragfijn als libellenvleugeltjes, waarin het zelfs overdag zo donker bleef alsof de nacht erin gevangenzat. De feeën sliepen er alleen als de zon aan de hemel stond, maar Jacob wist geen betere plek om op Miranda te wachten.

De Rode Fee. Onder die naam had hij voor het eerst van haar gehoord. Een dronken huursoldaat had hem verteld over een vriend, die door haar naar het eiland gelokt was en zichzelf na thuiskomst verdronken had omdat hij niet meer zonder haar kon. Iedereen kende zulke verhalen over de feeën, hoewel bijna niemand er ooit een gezien had. Sommige zagen hun eiland als het Dodenrijk, maar de feeën wisten niets van de tijd of de sterfelijkheid van mensen. Miranda noemde de Zwarte Fee alleen zuster omdat ze op dezelfde dag uit het meer gekomen waren. Hoe zou zij dan moeten begrijpen wat het voor hem betekende dat zijn broer in een goyl aan het veranderen was?

Op de tast liep Jacob door de tent, die een jaar lang begin en einde van zijn wereld was geweest. De gesponnen wanden hechtten zich aan zijn kleren. Zijn ogen wenden maar langzaam aan het donker, en toen hij een slapende gestalte zag liggen op het bed van mos, waarop hij zelf zo vaak gelegen had, deinsde hij geschrokken terug. Ze was niet veranderd. Natuurlijk niet. Ze werden nooit ouder. Haar huid was witter dan de lelies buiten op het meer en haar haren waren zo zwart als de nacht waar ze zo van hield. 's Nachts waren ook haar ogen zwart, maar overdag werden ze blauw als de hemel, of groen als het meer wanneer de bladeren van de wilgen zich erin spiegelden. Zo mooi. Te mooi voor mensenogen. Niet aangeraakt door de tijd en het verval dat daarbij hoorde. Maar er kwam een moment dat een mens ernaar verlangde om de sterfelijkheid van zijn eigen lichaam ook te voelen in de huid die hij streelde.

Jacob haalde het medaillon onder zijn hemd vandaan en maakte de ketting los. Miranda begon te woelen zodra hij het naast haar neerlegde, en Jacob deed een stap achteruit toen ze in haar droom zijn naam fluisterde. Het was geen mooie droom en uiteindelijk schrok ze wakker en deed haar ogen open.

Zo mooi. Jacob voelde aan de beet in zijn hand.

'Sinds wanneer slaap jij door de nachten heen?'

Heel even leek ze te denken dat hij alleen maar de droom was die haar gewekt had. Tot ze het medaillon naast zich zag liggen. Ze maakte het open en haalde het bloemblaadje eruit.

'Zo heb je je dus voor me verstopt.'

Jacob wist niet precies wat hij zag op haar gezicht. Blijdschap. Boosheid. Liefde. Haat. Misschien van alles een beetje.

'Wie had je dat verteld?'

'Jijzelf.'

Haar motten vlogen hem in het gezicht zodra hij een stap dichterbij kwam.

'Je moet me helpen, Miranda.'

Ze stond op en veegde het mos van haar huid.

'Eerst sliep ik door de nachten heen omdat ze me te veel aan jou deden denken. Maar dat is lang geleden. Nu is het alleen maar een slechte gewoonte.'

Haar motten kleurden het donker rood met hun vleugels.

'Ik zie dat je niet alleen gekomen bent,' zei ze, terwijl ze het lelieblaadje tussen haar vingers stukwreef. 'En je hebt een goyl meegebracht.'

'Dat is mijn broer.' Nu lieten de motten hem wel door. 'Het is een feeënvloek, Miranda.'

'Maar je bent bij de verkeerde fee.'

'Jij moet toch wel een manier weten om die vloek op te heffen?'

Ze leek te bestaan uit de schaduwen die haar omringden, uit het maanlicht en de dauw op de bladeren. Hij was zo gelukkig geweest toen er niets anders was. Maar er was zoveel meer.

'Mijn zuster is niet meer een van ons.' Miranda keerde hem de rug toe. 'Ze heeft ons verraden voor die goyl.'

'Help me dan!'

Jacob stak zijn hand naar haar uit, maar ze duwde hem weg.

'Waarom zou ik?'

'Ik moest wel weg. Ik kon hier niet eeuwig blijven!'

'Dat zei mijn zuster ook. Maar feeën gaan niet weg. We horen thuis op de plek die ons gebaard heeft. Dat wist jij net zo goed als zij.'

Ze was zo mooi. In het donker sponnen de herinneringen een web waarin ze allebei verstrikt raakten.

'Help me, Miranda! Alsjeblieft!'

Ze stak haar hand op en legde haar vingers op zijn lippen.

'Kus me.'

Het was alsof hij de nacht kuste, of de wind. Haar motten staken in zijn huid, en wat hij verloren had smaakte als as in zijn mond. Hij liet haar los; een ogenblik lang dacht hij in haar ogen zijn eigen einde te zien.

Buiten blafte een vos. Vos beweerde altijd dat ze voelde wanneer hij in gevaar was.

Weer keerde Miranda zich van hem af.

'Er bestaat maar één middel tegen deze vloek.'

'Wat voor middel?'

'Je zult mijn zuster moeten vernietigen.'

Zijn hart stond stil, heel even maar, maar hij voelde zijn angst als zweet op zijn huid. De Zwarte Fee. *'Ze verandert haar vijanden in de wijn die ze drinkt, of in het ijzer waarvan haar geliefde bruggen bouwt.*' Zelfs Chanute werd schor van angst als hij over haar sprak.

'Ik kan haar helemaal niet doden,' zei hij. 'Dat kan niemand.'

'Voor een fee zijn er ergere dingen dan de dood.' Even deed haar schoonheid denken aan een giftige bloem.

'Hoe lang heeft je broer nog?'

'Twee dagen, misschien drie.'

In het donker klonken stemmen. Haar andere zusters. Jacob was er nooit achter gekomen hoeveel het er waren.

Miranda keek naar het bed alsof ze moest denken aan de tijd die ze er samen in doorgebracht hadden. 'Mijn zuster is bij haar geliefde, in de hoofdvesting van de goyl.'

Dat was meer dan zes dagen rijden.

Dan waren ze al te laat. Veel te laat.

Jacob wist niet precies welk gevoel overheerste: wanhoop of opluchting.

Miranda stak haar hand uit. Een van haar motten streek erop neer. 'Je kunt nog op tijd komen.' De mot spreidde zijn vleugels. 'Als ik tijd voor je win.'

Vos begon weer te blaffen.

'Een van ons heeft een keer een prinses vervloekt, ze zou op haar vijftiende verjaardag sterven. Maar wij hebben de vloek tegengehouden. Met een diepe slaap.'

Jacob zag het stille, in doornen gehulde kasteel weer voor zich, en de roerloze figuur in het torenkamertje.

'En toch is ze gestorven,' zei hij, 'want niemand heeft haar wakker gemaakt.'

Miranda haalde haar schouders op. 'Ik laat je broer slapen,

en jij zorgt ervoor dat iemand hem wakker maakt. Maar pas als je de macht van mijn zuster gebroken hebt.'

De mot op haar hand zat zijn vleugeltjes schoon te maken.

'Dat meisje dat bij jullie is, die hoort toch bij je broer?' Miranda ging met haar blote voet over de grond en het maanlicht tekende Clara's gezicht in de aarde.

'Ja,' zei Jacob – en hij voelde iets wat hij niet begreep.

'Houdt ze van hem?'

'Ja. Ik geloof het wel.'

'Mooi. Want anders slaapt hij zich dood.' Miranda veegde het portret van maanlicht weer uit. 'Heb je mijn zuster wel eens ontmoet?'

Jacob schudde zijn hoofd. Hij had alleen wel eens een onscherpe foto gezien, een getekend portret in een krant – de demonische geliefde, de heksenfee die steen zaaide in mensenvlees.

'Ze is de mooiste van ons allemaal.' Miranda streelde zijn gezicht alsof ze zich de liefde wilde herinneren die ze ooit gevoeld had. 'Kijk haar niet te lang aan,' zei ze zacht. 'En wat ze je ook belooft, je moet precies doen wat ik zeg, anders is je broer reddeloos verloren.'

Het geblaf van Vos galmde weer door de nacht. *Het gaat goed met me, Vos*, dacht Jacob. *Het komt allemaal goed.* Ook al begreep hij nog niet hoe.

Hij pakte Miranda's hand. Zes vingers, witter dan de bloemen op het meer. Ze liet zich nog een keer door hem kussen.

'En als ik als beloning nu eens eis dat je terugkomt?' fluisterde ze. 'Zou je dat dan doen?'

'Eis je dat?' vroeg hij, al was hij bang voor het antwoord.

Ze glimlachte. 'Nee,' zei ze. 'Je beloont me door mijn zuster te vernietigen.'

HOOFDSTUK 27

Zo ver weg

Will had zijn blik nog niet één keer van het eiland afgewend. Het deed Clara pijn om te zien hoe bang hij was – bang voor zichzelf, voor wat Jacob op het eiland te horen zou krijgen, maar vooral bang dat zijn broer niet terug zou komen en hij alleen zou blijven met zijn huid van steen.

Hij was haar vergeten. Toch ging Clara naar hem toe. Het steen kon de persoon van wie ze gehouden had nog steeds niet helemaal verbergen. En hij was zo alleen.

'Jacob komt zo terug, Will. Ik weet het zeker.'

Hij draaide zich niet om. 'Bij Jacob weet je nooit wanneer hij terugkomt,' zei hij. 'Geloof me, ik kan het weten.'

Ze waren er allebei: de vreemde uit de grot, wiens kilte nog steeds als gif op haar tong lag, en die ander, die op de gang van het ziekenhuis voor de kamer van zijn moeder stond en altijd naar haar lachte als ze langsliep. Will. Ze miste hem verschrikkelijk.

'Hij komt terug,' zei ze. 'Dat weet ik gewoon. En hij bedenkt wel een oplossing. Hij houdt van je. Ook al laat hij dat niet zo makkelijk merken.'

Will schudde zijn hoofd. 'Je kent mijn broer niet,' zei hij, en hij keerde zich van het meer af alsof hij genoeg had van zijn spiegelbeeld. 'Jacob heeft nooit kunnen accepteren dat niet alle verhalen goed aflopen. Of dat mensen en dingen verloren gaan...'

Hij draaide zijn gezicht weg alsof hij zich opeens het jade herinnerde. Maar Clara zag het niet eens. Het was nog steeds het gezicht waar ze van hield. De mond die ze zo vaak gekust had. Zelfs de ogen waren nog de zijne, ondanks het goud. Maar toen ze haar hand naar hem uitstak, rilde hij zoals hij in de grot ook had gedaan. Het donker lag als een zwarte rivier tussen hen in.

Will haalde het pistool dat Jacob hem gegeven had onder zijn jas vandaan.

'Hier, pak aan,' zei hij. 'Je hebt het misschien nodig, voor het geval Jacob niet terugkomt en ik morgen je naam vergeten ben. En als je hem moet doden – die ander met het stenen gezicht – zeg dan maar bij jezelf dat hij hetzelfde met mij gedaan heeft.'

Toen ze een stap achteruit wilde doen, hield Will haar vast en drukte hij het pistool in haar hand. Hij vermeed het haar huid aan te raken, maar even ging hij met zijn vingers door haar haren.

'Het spijt me zo!' fluisterde hij.

Toen liep hij weg en verdween onder de wilgen. Clara staarde een hele tijd naar het pistool. Tot ze zich omdraaide en het in het donkere meer gooide.

HOOFDSTUK 28

Alleen een roos

Jacob bleef de hele nacht, al smaakte de fee naar as. Hij maakte Miranda's zwarte haren los uit de duisternis en zocht troost bij haar witte huid, stond zijn handen toe zich alles te herinneren en zette zijn verstand opzij. Buiten lachten en fluisterden de andere feeën. Jacob vroeg zich af of Miranda hem zou beschermen, als ze hem ontdekten. Maar het kon hem niet echt schelen. Niets kom hem schelen die nacht. Geen morgen. Geen gisteren. Geen broertjes en geen vader. Alleen zwart haar en witte huid en rode vleugeltjes die in het donker iets schreven wat hij niet begreep.

Maar toen zelfs het web hen niet meer tegen de dag kon beschermen, begon de beet in zijn hand pijn te doen, en alles was weer terug: angst, steen, het goud in Wills ogen – en de hoop dat hij toch nog een manier gevonden had om aan alles een einde te maken.

Miranda vroeg niet of hij terug zou komen. Voor hij vertrok liet ze hem alleen herhalen wat ze over haar zwarte zuster verteld had. Woord voor woord.

Broer. Zus.

De lelies sloten zich al voor het eerste ochtendlicht, en op weg naar het bootje kwam Jacob geen andere feeën tegen. Maar het schuim op het meer verraadde dat het water er binnenkort weer een zou baren.

Will was nergens te bekennen toen Jacob op de oever af roeide, maar Clara lag tussen de wilgen te slapen. Ze schrok op toen hij het bootje op de kant trok. Na de schoonheid van de feeën deed ze hem denken aan een veldbloem in een bos lelies. Zelf was ze zich kennelijk niet bewust van haar vieze kleren en de blaadjes in haar haren. Het enige wat Jacob in haar gezicht kon ontdekken was opluchting omdat hij terug was – en angst om zijn broer. *'Je broer zal haar nodig hebben. En jij ook.'* Vos had weer eens gelijk gehad. En deze keer had hij gelukkig naar haar geluisterd.

Vos kwam met al haar haren overeind onder de wilgentakken vandaan, alsof ze precies wist waarom hij nu pas terug was.

'Dat was een lange nacht,' zei ze bits. 'Ik heb al gekeken of ik soms een vis zag zwemmen die op jou leek.'

'Ik ben toch terug?' antwoordde hij. 'En ze gaat hem helpen.'

Vos keek hem aan. 'Waarom?'

'Waarom? Weet ik veel! Omdat ze het kan. Omdat ze een hekel heeft aan haar zus. Wat kan mij het schelen. Als ze het maar doet!'

Vos tuurde wantrouwig naar het eiland.

Clara was zo opgelucht dat haar vermoeidheid als sneeuw voor de zon verdween. 'Wanneer?' vroeg ze.

'Gauw.'

Vos zag aan zijn gezicht dat dit niet alles was, maar ze zei niets. Ze rook dat de hele waarheid haar helemaal niet zou bevallen. Maar Clara was veel te blij om het in de gaten te hebben.

'Vos dacht dat je ons vergeten was.' Will kwam tussen de wilgen vandaan, en even vreesde Jacob dat hij te lang op het eiland gebleven was. Het jade was donkerder geworden en vloeide over in het groen van de bomen, alsof de wereld achter de spiegel zijn broer definitief in bezit genomen had. Die wereld had zijn zaad in Will geplant, zoals een sluipwesp eitjes legt in het lichaam van een rups, en keek Jacob nu met gouden ogen aan, zijn broertje stevig tussen zijn kaken geklemd. Maar hij zou Will bevrijden, met dezelfde wapens die deze wereld tegen hem gebruikt had: de woorden van een fee.

'We moeten een roos zien te vinden,' zei hij.

'Alleen een roos? Is dat alles?'

Het jadegezicht was ondoorgrondelijk. Zo vertrouwd en zo vreemd tegelijk.

'Ja. Hij groeit hier vlakbij.' *En dan ga je slapen, broertje, en moet ik op zoek naar de Zwarte Fee.*

'Je kunt het heus niet zomaar laten verdwijnen.' Die blik in Wills ogen. Alsof hij zich niets meer herinnerde – en zich tegelijk alles herinnerde wat hen ooit uit elkaar gedreven had.

'Waarom niet?' zei Jacob. 'Ik zei toch dat ze ons zou helpen? Doe gewoon wat ik zeg, dan komt het allemaal goed.'

Vos verloor hem niet uit het oog.

Je bent bang, Jacob Reckless, zei haar blik.

Nou en, Vos? wilde hij antwoorden. *Dat is tenminste een vertrouwd gevoel.*

HOOFDSTUK 29

In het hart

Ze reden langs het meer naar het noorden. De tijd verdronk in de geur van lelies en het licht dat brak op het water, en voor het eerst was Clara bereid deze wereld alle angst en treurigheid te vergeven. Alles zou goed komen. Alles.

Na een tijdje keerde Jacob het meer de rug toe. De paarden zakten weg in braamstruiken en varens, en boven hen kleurden de boombladeren weer geel; een koele wind streek door de takken. Achter de bomen zag Clara het dal van de eenhoorns. De dieren waren zo ver weg dat ze in de mist, die nog steeds tussen de bergen hing, nauwelijks te zien waren. Maar hun doden lagen aan Clara's voeten.

Hun skeletten waren overal, mos en gras tussen de ribben, spinnenwebben in de lege oogkassen, de witte hoorns nog op de knobbelige koppen. Een eenhoornkerkhof. Misschien kwamen ze naar de bomen om te sterven, omdat hun dat in de beschutting van de takken makkelijker viel. Of omdat ze in de dood de nabijheid van de feeën zochten. Ranken met witte bloemen slingerden zich om de verbleekte botten, als een laatste groet van de feeën aan hun gehoornde wachters.

Jacob sprong van zijn paard en liep naar een van de skeletten. Uit de borst stak een rode roos.

'Will, kom eens hier.' Hij wenkte zijn broer.

Vos liep een stukje verder tussen de bomen en tuurde naar de eenhoorns in de verte. Ze stak haar neus wantrouwig in de lucht.

'Het ruikt hier naar goyl.'

'En? Will staat vlak achter je.' Jacob stond met zijn rug naar het dal. 'Pluk die roos, Will.'

Will stak zijn hand uit en trok hem snel weer terug. Hij keek even naar zijn versteende vingers en toen naar Clara, alsof hij in haar gezicht degene zocht die hij geweest was.

Toe nou, Will. Ze zei het niet hardop, ze dacht het alleen. Aan één stuk door. *Toe nou, doe wat je broer zegt!* En tussen al die bloemen en al die doden keek Will haar één kostbaar moment weer net zo aan als vroeger. *Alles komt goed.*

Clara hoorde de houtige steel breken toen hij de roos plukte. Hij prikte zich in zijn vinger en keek verrast naar het amberkleurige bloed op zijn jadehuid. Hij liet de roos vallen en streek over zijn voorhoofd.

'Wat is dit?' stamelde hij. Hij keek naar zijn broer. 'Wat heb je gedaan?'

Clara stak haar hand naar hem uit, maar Will deed een stap

achteruit. Hij struikelde over een van de skeletten. Onder zijn voeten braken de botten als vermolmd hout.

'Will, luister!' Jacob pakte hem bij zijn arm. 'Je moet slapen. Ik heb tijd nodig! Als je wakker wordt, is het allemaal achter de rug. Ik beloof het je.'

Will gaf hem zo'n harde duw dat Jacob tussen de veilige bomen vandaan het open dal in struikelde. In de verte tilden de eenhoorns hun kop op.

'Jacob!' blafte Vos. 'Kom terug onder de bomen!'

Jacob keek om. Het was een beeld dat Clara nooit meer zou vergeten. Zijn blik achterom. En toen de knal.

Zo doordringend. Net hout dat knapte.

De kogel raakte Jacob in zijn borst.

Vos gilde toen hij languit in het gele gras viel. Will rende naar hem toe voor Clara hem kon tegenhouden. Hij liet zich naast zijn broer op zijn knieën vallen en riep zijn naam, maar Jacob verroerde zich niet. Bloed sijpelde door zijn hemd, precies op de plek waar zijn hart zat.

De goyl kwam uit de mist tevoorschijn als een boze droom, met het geweer nog in de hand. Hij hinkte en leek gewond aan zijn linkerarm. Naast hem liep een van zijn soldaten, het meisje dat Clara met haar sabel had aangevallen en op wie Jacob geschoten had. Haar uniform was nat van haar kleurloze bloed.

Vos sprong grommend op hen af, maar de goyl gaf haar een schop. Op slag veranderde Vos van gedaante, alsof de pijn haar vacht gestolen had. Ze bukte zich snikkend in het gras en Clara sloeg beschermend haar armen om haar heen. Will kwam met een van woede vertrokken gezicht overeind. Hij graaide naar het geweer dat Jacob had laten vallen, maar hij wankelde versuft op zijn benen. De goyl pakte hem beet en zette zijn geweer tegen zijn hoofd.

'Rustig aan,' zei hij, terwijl het meisje haar pistool op Clara richtte. 'Met je broer had ik nog een rekening te vereffenen, maar jou zullen we geen haar krenken.'

Vos maakte zich uit Clara's armen los en trok Jacobs pistool uit zijn riem, maar de goyl schopte het uit haar hand. Will stond zwijgend naar zijn broer te staren.

'Moet je hem zien, Nesser.' De goyl draaide Wills gezicht ruw zijn kant op. 'Hij verandert inderdaad in jade.'

Will probeerde hem een kopstoot te geven, maar hij was te versuft.

De goyl barstte in lachen uit. 'Ja, je bent een van ons,' zei hij, 'ook al wil je het nog niet accepteren. Bind zijn handen op zijn rug!' beval hij het goylmeisje.

Hij liep naar Jacob toe en bekeek hem zoals een jager zijn prooi keurt. 'Dat gezicht komt me bekend voor,' zei hij. 'Hoe heet hij?'

Will gaf geen antwoord.

De goyl draaide zich om. 'Laat ook maar zitten,' zei hij. 'Alle weekhuiden lijken op elkaar. Vang de paarden,' zei hij tegen het meisje. Hij duwde Will naar Jacobs merrie.

'Waar brengen jullie hem heen?' Clara herkende haar eigen stem bijna niet meer.

De goyl draaide zich niet om.

'Vergeet hem!' zei hij over zijn schouder. 'Hij vergeet jou ook.'

HOOFDSTUK 30

Een lijkwade van rode lijfjes

De schotwond zag er veel onschuldiger uit dan de wonden die de eenhoorns Jacob hadden toegebracht. Maar toen had hij nog geademd, en Vos had nog een zwakke polsslag gevoeld. Nu lag hij alleen maar heel stil.

Al die pijn. Ze had zin om haar tanden in haar eigen vlees te zetten, alleen om die pijn niet meer te hoeven voelen. Haar vacht wilde niet terugkomen; ze voelde zich weerloos en alleen als een vondeling.

Clara zat een eindje verderop met haar armen om haar knieën in het gras. Ze liet geen traan. Ze zat daar alleen maar, alsof iemand haar hart uit haar borst had gesneden.

Clara zag de dwerg als eerste. Valiant kwam met een onschuldig gezicht hun kant op, alsof hij daar toevallig paddenstoelen aan het zoeken was, maar alleen een dwerg kon de goyl verteld hebben dat het eenhoornkerkhof de enige uitgang van het feeënrijk was.

Vos droogde haar tranen en tastte in het vochtige gras naar Jacobs pistool.

'Ho, ho! Wat moet dat?' schreeuwde Valiant toen ze het pistool op hem richtte. Hij dook vlug achter de dichtstbijzijnde struik. 'Wist ik dat ze hem meteen dood zouden schieten? Ik dacht dat ze het op zijn broer gemunt hadden!'

Clara kwam overeind.

'Schiet hem dood, Vos,' zei ze. 'Als jij het niet doet, doe ik het.'

'Wacht!' gilde de dwerg. 'Ze hebben me op de terugweg naar de kloof gevangengenomen! Wat moest ik dan? Me laten vermoorden?'

'En? Wat doe je hier dan nog?' snauwde Vos. 'Voor je naar huis gaat nog een beetje lijken pikken?'

'Hoe kom je dáár nou bij! Ik kom jullie redden!' antwoordde de dwerg oprecht verontwaardigd. 'Twee meisjes, helemaal alleen en verlaten...'

'...zo alleen en verlaten dat ze je wel voor je hulp zullen betalen?'

Valiants zwijgen zei genoeg. Vos richtte opnieuw haar pistool. Kon ze nu maar ophouden met huilen. Alles werd er wazig door: het nevelige dal, de struik waar die geniepige dwerg zich achter verstopte – en Jacobs roerloze gezicht.

'Vos!'

Clara pakte haar bij haar arm. Een rode mot was op Jacobs gewonde borst neergestreken en een tweede ging op zijn voorhoofd zitten.

Vos liet het pistool vallen.

'Ga weg!' riep ze met een van tranen verstikte stem. 'En zeg tegen jullie bazin dat hij nooit meer bij haar terugkomt!' Ze boog zich over Jacob heen. 'Ik had het je toch gezegd? Niet teruggaan naar de feeën! Deze keer wordt het je dood!'

Een derde mot streek op Jacob neer. Er kwamen er steeds meer tussen de bomen vandaan. Ze zaten op het bewegingloze lichaam als bloemen die uit zijn gewonde vlees opschoten. Vos probeerde ze weg te jagen, maar het waren er te veel. Ze gaf het op en keek hoe ze Jacob met hun vleugels toedekten, alsof de Rode Fee hem nog in de dood voor zich opeiste.

Clara knielde naast haar en sloeg een arm om haar heen.

'We moeten hem begraven.'

Vos maakte zich uit haar armen los en drukte haar gezicht tegen Jacobs borst.

Begraven.

'Ik doe het wel.' De dwerg waagde het zowaar om dichterbij te komen. Hij pakte het geweer dat Will had laten vallen en sloeg de loop met zijn blote hand moeiteloos plat, alsof hij van deeg was in plaats van metaal.

'Eeuwig zonde!' bromde hij, terwijl hij van het geweer een schop maakte. 'Een kilo rode maansteen, en niemand die het opstrijkt!'

De dwerg groef een graf alsof het zijn dagelijks werk was. Vos zat intussen met haar armen om Clara heen naar Jacobs stille gezicht te kijken. De motten bedekten hem nog steeds als een lijkwade toen de dwerg zijn schop in het gras gooide en de aarde van zijn handen klopte.

'Goed, erin met hem.' De dwerg boog zich over Jacob heen. 'Maar eerst even kijken wat hij in zijn zakken heeft. Waarom zouden we zijn mooie gouden daalders in de aarde laten verrotten?'

Vos' vacht was op slag terug.

'Blijf met je handen van hem af!' blies ze, happend naar Valiants vingers. *Bijten, Vos. Bijten, zo hard als je kunt. Misschien helpt dat tegen de pijn.*

De dwerg probeerde haar met het geweer af te weren, maar ze scheurde zijn jas kapot en sprong hem naar de keel, tot Clara haar in haar vacht greep en wegtrok.

'Vos, laat hem maar!' fluisterde ze, en ze drukte haar trillende lijfje tegen zich aan. 'Hij heeft gelijk. We hebben geld nodig. En Jacobs wapens, en het kompas... Alles wat hij bij zich had.'

'Waarom?'

'Om Will te vinden.'

Waar had ze het over?

Achter hen begon de dwerg ongelovig te lachen. 'Will? Er is geen Will meer.'

Maar Clara stak haar hand in Jacobs jaszak. 'We geven je alles wat hij bij zich heeft, als jij ons helpt zijn broer te vinden. Zo zou hij het gewild hebben.'

Ze haalde de zakdoek uit Jacobs jaszak en twee gouden daalders vielen op zijn borst. De motten vlogen op als herfstbladeren in de wind.

'Vreemd hoe weinig ze op elkaar lijken,' zei Clara, terwijl ze het donkere haar van Jacobs voorhoofd streek. 'Heb jij broertjes of zusjes, Vos?'

'Drie broers.'

Een laatste mot vloog van Jacobs borst. Vos duwde met haar kopje tegen zijn levenloze hand. Maar opeens sprong ze achteruit. Er ging een rilling door het roerloze lichaam. De mond hapte naar lucht en de handen klauwden in het korte gras.

Jacob!

Vos sprong zo onstuimig boven op hem dat hij kreunde van de pijn. Niks graf. Niks vochtige aarde op zijn gezicht. Ze beet hem in zijn kin en zijn wangen. O, ze hield zo van hem dat ze hem wel kon opvreten.

'Vos! Wat doe je allemaal?' Hij pakte haar vast en ging overeind zitten.

Clara liep achteruit alsof hij een geest was, en de dwerg liet het geweer vallen. Jacob bekeek zijn van bloed doordrenkte hemd.

'Van wie is dat bloed?'

'Van jou!' Vos vlijde zich tegen zijn borst om zijn hartslag te voelen. 'Ze hebben je neergeschoten!'

Jacob keek haar ongelovig aan. Hij knoopte zijn hemd los, maar in plaats van een wond was er alleen de lichtrode afdruk van een mot te zien.

'Je was dood, Jacob.' Clara worstelde met de woorden alsof haar tong naar elke lettergreep moest zoeken. 'Dood.'

Jacob voelde aan de afdruk op zijn borst. Hij was nog niet helemaal terug. Vos zag het aan hem. Maar opeens begon hij zoekend om zich heen te kijken.

'Waar is Will?'

Toen hij de dwerg zag staan, kwam hij moeizaam overeind.

Valiant schonk hem zijn breedste grijns. 'Die fee moet wel heel erg dol op je zijn. Ik heb wel eens gehoord dat ze hun geliefden uit de dood terughalen, maar dat ze dat ook doen als je eerst bij ze weggelopen bent...' Hoofdschuddend raapte hij het vervormde geweer op.

‘Waar is mijn broer?’ Jacob deed dreigend een stap in de richting van de dwerg, maar Valiant bracht zich met een sprong over het lege graf in veiligheid.

‘Rustig, rustig!’ riep hij, met het geweer voor zich uitgestoken. ‘Hoe moet ik je dat vertellen als jij me de nek omdraait?’

Clara stopte de daalders en de zakdoek weer in Jacobs zak. ‘Het spijt me. Ik wist niet hoe ik Will moest vinden zonder hem.’ Ze verborg haar gezicht tegen zijn schouder. ‘Ik dacht dat ik jullie allebei kwijt was.’

Zonder Valiant uit het oog te verliezen streelde Jacob haar haar. ‘Maak je geen zorgen. We vinden Will wel. Dat beloof ik je. Daar hebben we die dwerg niet voor nodig.’

‘O nee?’ Valiant brak de verbogen geweerloop af als een vermolde tak. ‘Ze brengen hem naar de koningsvesting. De laatste mens die daar binnendrong was een spion van de keizerin. Ze hebben hem in barnsteen gegoten, als een vlieg. Hij is te bezichtigen naast de hoofdpoort. Een verschrikkelijk gezicht.’

Jacob raapte zijn pistool op en stak het in zijn riem. ‘Maar jij weet natuurlijk een manier om binnen te komen.’

Valiant lachte zo zelfingenomen dat Vos haar tanden liet zien. ‘Natuurlijk.’

Jacob bekeek de dwerg alsof hij een giftige slang was. ‘Hoeveel?’ vroeg hij.

Valiant boog de afgebroken loop recht. ‘Die goudboom die je vorig jaar aan de keizerin verkocht hebt... Het gerucht gaat dat ze jou een stekje gegeven heeft.’

Gelukkig zag hij niet hoe Vos naar Jacob keek. Het boompje groeide achter de ruïne, tussen de afgebrande stallen, en tot nu toe was zijn stinkende stuifmeel het enige goud dat er naar beneden kwam. Toch lukte het Jacob om een verontwaardigd gezicht te trekken.

'Dat is een belachelijke prijs!'

'Een passende prijs.' Valiants ogen schitterden alsof hij het goud al op zijn schouders voelde regenen. 'Maar ook als jij niet levend uit die vesting komt, moet Vos me naar die boom brengen. Daarop wil ik je erewoord.'

'Erewoord?' gromde Vos. 'Het verbaast me dat je geen blaren op je tong krijgt van dat woord!'

De dwerg grijnsde minachtend. En Jacob stak zijn hand naar hem uit.

'Geef hem je woord, Vos,' zei hij. 'Wat er ook gebeurt, ik weet zeker dat hij die boom straks verdiend heeft.'

HOOFDSTUK 31

Zwart glas

Zonder de paarden deden ze er uren over om bij een weg te komen die uit het dal de bergen in liep. Jacob moest Valiant op zijn rug nemen, omdat hij hen anders te veel ophield. Uiteindelijk gaf een boer hun met zijn kar een lift naar het dichtstbijzijnde dorp, waar Jacob twee nieuwe paarden kocht, en een ezel voor de dwerg. De paarden waren niet al te snel, maar ze waren gewend aan de steile bergpaden, en Jacob stopte pas toen ze in het donker steeds vaker van de weg raakten.

Onder een overhangende rots vonden ze beschutting tegen de koude wind. Valiant begon algauw te snurken alsof hij in zo'n zacht bed lag waar dwergenherbergen beroemd om waren. Vos ging op jacht, en Jacob raadde Clara aan om tussen de paarden te gaan slapen, zodat hun warmte haar kon beschermen. Zelfs maakte hij met droog hout dat hij tussen de rotsen vond een vuurtje en probeerde iets van de rust terug te vinden die hij op het eiland gevoeld had. Hij betrapte zich er steeds op dat hij aan het opgedroogde bloed op zijn hemd voelde, maar alles wat hij zich herinnerde was Wills verwijtende blik nadat hij zich aan de roos geprikt had, en Vos die opgelucht haar snuit in zijn gezicht stak. Daartussen zat niets. Alleen een vermoeden van pijn en duisternis.

En zijn broer was weg.

'Als je wakker wordt, is het allemaal achter de rug. Ik beloof het je.'

Hoe dan, Jacob? Ook al zou de dwerg hem niet nog een keer verraden en zou hij in de vesting inderdaad de Zwarte Fee vinden, hoe moest hij dan ooit dicht genoeg bij haar komen om haar aan te raken, laat staan dat hij de kans kreeg te zeggen wat haar zuster hem ingefluisterd had voor zij hém vermoordde? *Niet denken, Jacob. Gewoon doen.*

Hij brandde van ongeduld, alsof de dood zijn oude onrust alleen maar aangewakkerd had. Hij wilde de dwerg wakker schudden, verdergaan. *Verder, Jacob. Altijd maar verder. Zoals je al jaren doet.* De wind blies in het vuur, en hij knoopte zijn jas dicht over zijn hemd.

'Jacob?'

Clara stond achter hem. Ze had een paardendeken om haar schouders geslagen. Het viel hem op dat haar haar langer geworden was.

'Hoe gaat het met je?' Aan haar stem te horen was ze nog steeds stomverbaasd dat hij in leven was.

'Goed,' antwoordde hij. 'Wil je voor de zekerheid mijn pols voelen?'

Ze glimlachte, maar haar blik bleef bezorgd. Boven hen kraste een uil. In de Spiegelwereld werden uilen gezien als de zielen van dode heksen. Clara knielde naast hem op de koude grond en hield haar handen boven de verwarmende vlammen.

'Denk je nog steeds dat je Will kunt helpen?'

Ze zag er doodmoe uit.

'Ja,' zei hij. 'Maar geloof me, meer wil je niet weten. Het zou je alleen maar bang maken.'

Ze keek hem aan. Haar ogen waren net zo blauw als die van zijn broer. Voor ze in het goud verdronken waren.

'Vertelde je Will daarom niet waarom hij die roos moest plukken?' De wind blies vonken in haar haar. 'Ik denk dat je broer meer van angst weet dan jij.'

Woorden. Meer niet. Maar ze veranderden de nacht in zwart glas, en Jacob zag zijn eigen gezicht erin.

'Ik weet waarom je hier bent.' Clara klonk afwezig, alsof ze het niet over hem had maar over zichzelf. 'Deze wereld maakt je niet half zo bang als die andere. Alles waar je bang voor was heb je achter de spiegel gelaten. Hier heb je niets en niemand te verliezen, alleen Vos, en die maakt zich meer zorgen om jou dan jij om haar. Maar toen kwam Will, en die bracht alles weer mee.'

Ze stond op en veegde de aarde van haar knieën.

'Wat je ook van plan bent, Jacob, doe alsjeblieft voorzichtig. Je maakt niets goed door je voor Will te laten vermoorden. Maar als er nog een andere manier is om hem terug te veranderen in wie hij was, wat voor manier dan ook, laat mij je dan helpen! Ook al denk je dat het me bang zal maken. Jij bent niet de enige die hem niet wil verliezen. En waarom ben ik hier anders nog?'

Ze liet hem alleen voor hij antwoord kon geven. En Jacob wenste haar een heel eind weg. En hij was blij dat ze er was. En zag zijn gezicht in het zwarte glas van de nacht. Onvertekend. Zoals zij het geschetst had.

HOOFDSTUK 32

De rivier

Ze deden er nog vier dagen over om bij de bergen te komen die de goyl hun thuis noemden. Koude dagen, ijzige nachten. Te veel regen en natte kleren. Een van de paarden verloor een hoefijzer, en de smid waar ze hem naartoe brachten vertelde Clara over een blauwbaard die in het volgende dorp drie meisjes, amper ouder dan zij, van hun vaders gekocht had, om ze in zijn kasteel te doden. Clara luisterde met een neutraal gezicht, maar Jacob zag aan haar dat ze haar eigen verhaal inmiddels niet minder grimmig vond.

'Wat doet ze hier nog?' vroeg Valiant toen Clara op een ochtend van vermoeidheid bijna niet op haar paard kon komen. 'Wat doen mensen toch altijd met hun vrouwen? Ze hoort in een huis. Mooie kleren, bedienden, taart, een zacht bed, dat is wat ze nodig heeft.'

'En een dwerg als echtgenoot en een gouden slot op de deur waarvan jij alleen de sleutel hebt?' kaatste Jacob terug.

'Waarom niet?' zei Valiant – en hij glimlachte innemend naar Clara.

's Nachts was het zo koud dat ze in herbergen overnachtten. Clara deelde een bed met Vos en Jacob lag naast de snurkende dwerg, maar niet alleen daarom sliep hij onrustig. In zijn dromen werd hij verstikt door rode motten, en als hij badend in het zweet wakker schrok proefde hij bloed in zijn mond.

Op de avond van de vierde dag zagen ze de torens die de goyl aan hun grenzen bouwden. Slank als druipsteenzuilen, met geribbelde muren en ramen van onyx, maar Valiant wist een weg door de bergen die er ruim omheen liep.

Vroeger waren de goyl in deze streek slechts een van de vele verschrikkingen en werden ze in één adem genoemd met mensenetende reuzen en bruine wolven. Maar hun ergste vergrijp was altijd al geweest dat ze te veel op mensen leken. Ze waren het verafschuwde tweelingbroertje, de stenen neef die in het donker huisde. Nergens was er zo genadeloos op hen gejaagd als in de bergen waar ze vandaan kwamen, en nu betaalden de goyl met gelijke munt terug. Op geen enkele plek was hun heerschappij meedogenlozer dan in hun oude vaderland.

Valiant meed de wegen die door hun troepen gebruikt werden, maar toch liepen ze telkens weer tegen patrouilles op. De dwerg stelde Jacob en Clara voor als rijke klanten die van plan waren om in de buurt van de koningsvesting een glasfabriek te bouwen. Jacob had voor Clara een met gouddraad versierde rok gekocht, zoals welgestelde vrouwen in deze streek die ook vaak droegen, en zijn eigen kleren ingeruild voor die van een koopman. Hij herkende zichzelf nauwelijks in de lange jas met bontkraag en de zachte grijze pantalon, en voor Clara werd het paardrijden met haar wijde rok nog lastiger, maar de goyl lieten hen altijd door als Valiant zijn verhaaltje opdiste.

Op een avond waarop er sneeuw in de lucht hing bereikten ze de rivier waarachter de koningsvesting lag. De veerboot voer af in Blenheim, een stadje dat de goyl jaren geleden al ingenomen hadden. Van bijna de helft van de huizen waren de ramen dichtgemetseld. Om zich tegen het daglicht te beschermen hadden de bezetters veel straten overdekt, en achter de havenmuur zat in de grond een zwaarbewaakt gat, wat erop wees dat Blenheim intussen ook een ondergrondse wijk had.

Terwijl Vos tussen de huizen verdween om een van de magere kippen te vangen die rondscharrelden op de kasseien, liep Jacob met Clara naar de aanlegsteiger van de veerboot. De avondhemel spiegelde zich in het troebele water. Op de andere oever gaapte een vierkante poort in de berghelling.

'Is dat de ingang van de vesting?' vroeg Jacob aan de dwerg.

Valiant schudde zijn hoofd. 'Nee. Dat is een van de steden die ze bovengronds gebouwd hebben. De vesting ligt verder landinwaarts, en zo diep onder de grond dat je er het ademhalen verleert.'

Jacob bond de paarden vast en ging met Clara de aanlegsteiger op. De veerman spande de ketting al voor de doorgang. Hij was bijna zo lelijk als de trollen in het noorden, die schrokken van hun eigen spiegelbeeld. Zijn boot had betere tijden gekend; de platte romp was met ijzer beslagen. De veerman grijnsde verachtelijk toen Jacob hem vroeg of hij hen nog voor de avond kon overzetten.

'Deze rivier is niet bepaald gastvrij als het donker wordt. En vanaf morgen mogen we drie dagen niet overvaren omdat de gekroonde goyl zijn nest verlaat om naar zijn huwelijksfeest te gaan.' Hij praatte zo hard dat het leek alsof hij ook op de andere oever gehoord wilde worden.

'Huwelijksfeest?' Jacob keek Valiant vragend aan, maar de dwerg haalde zijn schouders op.

'Waar hebben jullie uitgehangen?' vroeg de veerman spottend. 'De keizerin koopt vrede van de Rotskoppen door haar dochter aan hun koning te geven. Morgen komen ze als termieten uit alle hoeken en gaten, en de goyl rijdt in zijn duivelstrein naar Vena om de mooiste prinses van de wereld mee terug te slepen naar zijn hol.'

Morgen al.

'Gaat de fee met hem mee?' vroeg Valiant nieuwsgierig.

De veerman haalde zijn schouders op. 'Uiteraard. Zonder haar gaat die goyl nergens heen. Niet eens naar zijn eigen trouwerij.'

En weer glipt de tijd je door de vingers, Jacob. Hij stak een hand in zijn zak. 'Heb je vandaag een goylofficier overgezet?'

'Hè?' De veerman hield een hand achter zijn oor.

'Een goylofficier. Jaspis, bijna blind aan één oog. Hij had een gevangene bij zich.'

De veerman wierp een blik op de goylpost die achter de muur op wacht stond, maar die stond een eind bij hen vandaan en keerde hun net de rug toe. 'Hoezo? Ben jij er zo een die nog steeds op ze jaagt?' De veerman praatte zo hard dat Jacob bezorgd naar de wachtpost keek. 'Voor die gevangene van hem zou je veel geld kunnen vangen. Hij had een kleur die ik bij de goyl nog nooit gezien heb.'

Jacob had hem met liefde op zijn lelijke gezicht geslagen. In plaats daarvan haalde hij een gouden daalder uit de zakdoek. 'Als je ons vandaag nog overzet, krijg je er aan de overkant nog een.'

De veerman keek begerig naar de daalder, maar Valiant greep Jacob bij zijn arm en trok hem opzij. 'Laten we tot morgen wachten. Het wordt al donker en die rivier wemelt van de lorelei.'

Lorelei. Jacob keek naar het traag stromende water. Zijn oma neuriede vroeger vaak een lied met dezelfde naam. De tekst had hem als kind de rillingen bezorgd, maar de verhalen die in deze wereld de ronde deden over de lorelei waren nog veel griezeliger. En toch. Hij had geen keus.

'Geen zorgen!' De veerman stak zijn eeltige hand naar hem uit. 'We maken ze heus niet wakker!'

Maar toen Jacob de daalder in zijn hand had laten vallen, graaide hij in zijn uitpuilende zakken en overhandigde hem en Valiant wasbolletjes die eruitzagen alsof ze al in heel veel oren hadden gezeten.

'Voor de zekerheid. Je kunt nooit weten.'

Clara keek Jacob vragend aan. 'Jij hebt ze niet nodig,' zei de veerman. 'Lorelei hebben het alleen op mannen voorzien.'

Vos dook pas weer op toen ze de paarden de veerboot al op leidden. Voor ze op de platte boot sprong likte ze nog een veertje uit haar vacht. De paarden waren onrustig, maar de veerman stopte de gouden daalder in zijn zak en gooide de touwen los.

De veerboot dreef de rivier op. Achter hen losten de huizen en de aanlegsteiger van Blenheim op in de schemering; het enige geluid in de avondlijke stilte was het kabbelen van het water tegen de romp van de boot. De andere oever kwam langzaam dichterbij. De veerman knipoogde geruststellend naar Jacob, maar de paarden bleven onrustig en Vos had haar oren gespitst.

Over het water zweefde een stem.

Eerst klonk het als een vogel, maar toen steeds meer als een vrouw. De stem kwam van een rots die links van hen uit het water oprees, grijs als de versteende schemering. Een figuur maakte zich van de rots los en gleed in het water. Een tweede volgde. Ze kwamen overal vandaan.

Valiant vloekte. 'Wat zei ik je?' blafte hij tegen Jacob. 'Sneller!' schreeuwde hij naar de veerman. 'Schiet toch op, man!'

Maar de veerman leek de dwerg net zomin te horen als de stemmen, die steeds verleidelijker over het water kwamen aanzweven. Pas toen Jacob een hand op zijn schouder legde draaide hij zich om.

'Hij hoort geen klap! Die geniepige hond is zo doof als een dooie vis!' schreeuwde Valiant. Snel propte hij de vieze wasbolletjes in zijn oren.

De veerman haalde alleen zijn schouders op en pakte zijn roer stevig vast. Terwijl Jacob zelf ook de wasbolletjes in zijn oren stopte, vroeg hij zich af hoe vaak de man al zonder passagiers aangekomen was.

De paarden steigerden. Jacob kon ze nauwelijks in bedwang houden. Het laatste daglicht vervloog, en de andere oever kwam tergend langzaam dichterbij, alsof het water hen weer terugdreef. Clara kwam dicht tegen hem aan staan en Vos stelde zich beschermend voor hem op, hoewel haar vacht van angst overeind stond. De stemmen klonken nu zo hard dat Jacob ze door de bolletjes heen kon horen. Ze lokten hem naar het water. Clara trok hem bij de reling weg, maar het gezang drong als een zoet gif door zijn huid. Hoofden doken op uit de golven, haar dreef als wier op het water, en toen Clara hem heel even losliet om haar handen tegen haar pijnlijke oren te drukken, voelde Jacob hoe zijn eigen vingers de bolletjes lospeuterden en overboord gooiden.

De zingende stemmen sneden als in honing gedoopte messen door zijn hoofd. Clara probeerde hem tegen te houden, maar Jacob wankelde naar de reling en duwde haar zo ruw opzij dat ze tegen de veerman aan viel.

Waar waren ze? Hij boog zich over het water. Eerst zag hij alleen zijn eigen spiegelbeeld, maar opeens versmolt het met een ander gezicht. Het leek op het gezicht van een vrouw, maar dan zonder neus, met ogen van zilver en hoektanden die uitstaken over de bleekgroene lippen. Armen kwamen uit het water en vingers sloten zich om Jacobs pols. Een andere hand graaide naar zijn haar. Het water sloeg over de reling. Ze waren overal, staken hun armen naar hem uit, hun vissige lijf half uit het water, de tanden ontbloot. Lorelei. Het was veel erger dan in het lied. De werkelijkheid was altijd erger.

Vos zette haar tanden diep in de geschubde armen die Jacob vasthielden, maar de andere lorelei trokken hem over de reling. Hoe hij zich ook verzette, uiteindelijk verloor hij zijn evenwicht. Maar opeens hoorde hij een schot. Een van de nimfen verdween met een gat in haar voorhoofd in het troebele water.

Clara stond achter hem, met in haar hand het pistool dat hij haar gegeven had. Zonder aarzelen schoot ze op een andere lorelei, die probeerde de dwerg het water in te sleuren. De veerman doodde er twee met een mes, en Jacob zelf schoot er een dood die haar klauwen in Vos had gezet. Toen de lichamen wegdreven, trokken de andere lorelei zich terug. Even later stortten ze zich op hun dode soortgenoten.

Bij die aanblik liet Clara het pistool vallen. Ze verborg haar gezicht in haar handen, terwijl Jacob en Valiant de angstige paarden vingen en de veerman de wild slingerende boot naar de aanlegsteiger stuurde. De lorelei schreeuwden hun woedend na, maar nu klonken ze als een stel krijsende meeuwen.

Ze schreeuwden nog steeds toen ze de paarden de oever op leidden. De veerman kwam op Jacob af en stak zijn hand uit. Valiant gaf hem zo'n duw dat hij bijna in de rivier tuimelde.

'Dat van die tweede daalder heb je dus wél gehoord!' viel hij uit. 'Ik zou die eerste maar eens snel teruggeven. Of laat je je altijd betalen voor het voeren van de lorelei?'

'Wat willen jullie nou, ik heb jullie toch overgezet!' protesteerde de veerman. 'Die vervloekte fee heeft ze uitgezet. Moet ik me dan zomaar mijn kostwinning laten afnemen? En beloofd is beloofd.'

Jacob haalde nog een daalder uit zijn zak. 'Best hoor,' zei hij. Ze waren aan de overkant, en dat was het enige wat telde. 'Is er soms nog iets waar we voor moeten oppassen?'

Valiant volgde de daalder met zijn ogen. De veerman nam hem hebberig aan en stopte hem in zijn zak.

'Heeft die dwerg jullie van de draken verteld? Ze zijn zo rood als het vuur dat ze spuwen en als ze over de bergen vliegen, staan de hellingen dagen later nog in brand.'

'O ja, dat oude verhaal.' Valiant keek Jacob veelbetekenend aan. 'Jullie maken je kinderen toch ook wijs dat er hier nog reuzen leven? Bijgelovige praatjes. Zal ik je eens zeggen waar echt een draak zit?'

De veerman boog zich nieuwsgierig naar hem over.

'Ik heb hem met mijn eigen ogen gezien!' schreeuwde Valiant in zijn hardhorende oor. 'In zijn nest van botten, twee mijl stroomopwaarts, maar hij was groen, en uit zijn lelijke muil bungelde een been dat net zo mager was als die beentjes van jou! Alle duivels met hun gouden haren, dacht ik bij mezelf, ik zou niet graag in Blenheim wonen als dat beest op een dag op het idee komt de rivier af te zakken!'

De ogen van de veerman werden zo groot als Jacobs gouden daalders. 'Twee mijl?' Hij keek angstig de rivier af.

'Ja, misschien nog iets minder.' Valiant liet de smerige wasbolletjes in de hand van de veerman vallen. 'Veel plezier op de terugweg!'

'Leuk verhaal,' fluisterde Jacob terwijl de dwerg op zijn ezel klom. 'Maar wat zou je zeggen als ik je vertelde dat ik echt een keer een draak gezien heb?'

'Dat je een leugenaar bent,' zei Valiant zacht. 'Vertel me liever waar je al die gouden daalders vandaan haalt. Hoe kan het dat je de een na de ander uit je zak vist, terwijl ik nooit iets hoor rinkelen?'

Achter hen bleven de lorelei maar krijsen. Jacob zag de klauwafdrukken in Clara's arm pas toen hij haar op haar paard hielp. Maar hoewel hij degene was geweest die per se had willen oversteken, lag er in haar ogen geen verwijt.

'Wat ruik je, Vos?' vroeg hij terwijl hijzelf ook op zijn paard sprong.

'Goyl,' antwoordde ze. 'Alleen maar goyl. Alsof de hele wereld eruit bestaat.'

HOOFDSTUK 33

Zo moe

Will wilde slapen. Gewoon slapen en niet meer denken aan het bloed, al dat bloed op Jacobs borst. Hij was alle besef van tijd kwijt, net zoals hij zijn eigen huid en zijn eigen hart niet meer voelde. Zijn dode broer. Dat was het enige beeld dat de weg naar zijn dromen vond. En die stemmen. De ene rauw. De andere net water. Koel, donker water.

'Doe je ogen open,' zei de koele stem. Maar hij kon het niet.

Hij kon alleen maar slapen.

Ook al zag hij dan al dat bloed.

Een hand streelde zijn gezicht. Geen hand van steen, maar een zachte, koele hand.

'Word wakker, Will.'

Maar hij wilde pas weer wakker worden als hij terug was: in

de andere wereld, waar het bloed op Jacobs borst een droom zou zijn, net als zijn huid van jade en de vreemde die zich in hem roerde.

'Hij is bij uw rode zuster geweest.'

De stem van de moordenaar. Will wilde met zijn nieuwe klauwen zijn jaspishuid openrijten en hem net zo roerloos op de grond zien liggen als Jacob. Maar de slaap hield hem gevangen en verlamde zijn ledematen, meer dan welke keten dan ook.

'Wanneer?' Woede. Will voelde het als een mes van ijs. 'Waarom heb je hem niet tegengehouden?'

'Hoe dan? U had me niet verteld hoe ik langs die eenhoorns moest komen!' Haat. Als een vlam die aan het ijs likte. 'U bent machtiger dan uw zuster. Maak wat zij gedaan heeft gewoon weer ongedaan!'

'Dit was een behekste doorn! Niemand kan dit ongedaan maken. Ik zag dat hij een meisje bij zich had. Waar is ze?'

'Ik had geen opdracht haar mee te brengen.'

Het meisje. Hoe zag ze er ook al weer uit? Will wist het niet meer. Het bloed had haar gezicht weggespoeld.

'Ga haar halen! Het leven van je koning hangt ervan af.'

Will voelde de vingers weer op zijn gezicht. Zo zacht en koel.

'Een schild van jade.' Haar stem streek langs zijn huid. 'Ontstaan uit het vlees van zijn vijanden. Mijn dromen liegen nooit.'

HOOFDSTUK 34

Leeuwerikwater

Valiant reed een tijdje vastberaden voorop. Maar toen de hellingen rondom steeds steiler werden en de weg die ze vanaf de rivier gevolgd hadden doodliep in steengruis en struikgewas, liet de dwerg zijn ezel stoppen en keek hij radeloos om zich heen.

Jacob stopte naast hem. 'Wat?' vroeg hij. 'Zeg niet dat je nu al verdwaald bent.'

'De laatste keer dat ik hier was, was op klaarlichte dag!' antwoordde Valiant geprikkeld. 'Hoe moet ik een verborgen ingang vinden als het donkerder is dan in de kont van een reus? Het moet vlakbij zijn!'

Jacob steeg af en gaf de dwerg zijn zaklamp. 'Hier,' zei hij. 'Vind die ingang. Vannacht nog, als het kan.'

De dwerg liet de lichtbundel verbaasd door het donker gaan. 'Wat is dit? Een feeëntruc?'

'Zoiets,' zei Jacob.

'Ik zou durven zweren dat het daarbeneden is.' Valiant scheen met de zaklamp op een dichtbegroeide helling links van hen. Vos keek hem wantrouwig na toen hij begon af te dalen.

'Ga met hem mee,' zei Jacob. 'Anders raken we hem nog kwijt.'

Vos was niet blij met de opdracht, maar uiteindelijk rende ze achter de dwerg aan.

Clara kwam van haar paard en bond het dier aan een boom. In het maanlicht glinsterde het gouddraad in haar rok nog meer. Jacob plukte een paar eikenblaadjes en gaf ze aan haar.

'Wrijf ze tussen je handen stuk en strijk dan over het borduurwerk.'

Het draad verbleekte onder Clara's handen alsof ze het goud van de blauwe stof veegde.

'Elfengaren,' zei Jacob. 'Heel mooi. Maar elke goyl ziet je van mijlenver aankomen.'

Clara ging met haar handen door haar opvallende blonde haar, alsof ze het dezelfde behandeling wilde geven als haar rok.

'Je wilt in je eentje de vesting in.'

'Ja.'

'Als je op de rivier alleen was geweest, was je nu dood! Laat me meegaan. Alsjeblieft.'

Jacob schudde zijn hoofd. 'Te gevaarlijk. Als jou iets overkomt, is Will verloren. Geloof me, hij zal jou straks veel harder nodig hebben dan mij.'

'Hoezo?' Het was zo koud dat haar adem witte wolkjes vormde.

'Jij zult hem moeten wekken.'

'Wekken?' Het duurde even voor Clara het begreep. 'Die roos...' Ze keek hem ongelovig aan.

En de prins boog zich over haar heen en kuste haar wakker.

Boven hen stonden de sikkels van de beide manen smal aan de zwarte hemel, alsof ze in de nacht verhongerd waren.

'Waarom denk je dat ik hem kan wekken? Je broer houdt niet meer van me!' Ze deed haar best de pijn uit haar stem te weren.

Jacob trok zijn dure jas uit, waarin hij eruitzag als een rijke handelaar. De enige mensen in de vesting waren slaven, en die droegen vast geen bontkragen.

'Maar jij wel van hem,' zei hij. 'Dat moet maar genoeg zijn.'

Clara stond er zwijgend bij.

'En als dat niet zo is?' vroeg ze na een tijdje. 'Als het nou níét genoeg is?'

Hij hoefde geen antwoord te geven. Ze dachten allebei aan het kasteel en de doden onder de bladeren.

'Hoe lang duurde het voor Will je durfde te vragen of je met hem uit wilde?' Jacob trok zijn oude jas weer aan.

De herinnering verjoeg Clara's angst. 'Twee weken. Ik dacht dat hij het nooit zou vragen. Terwijl we elkaar elke dag zagen als hij bij je moeder op bezoek kwam.'

'Twee weken. Dat is snel voor Wills doen.' Achter hen ritselde iets. Jacob trok zijn pistool, maar het was alleen een das die zich een weg door de struiken baande. 'Waar nam hij je mee naartoe?'

'Naar de koffiecorner van het ziekenhuis. Niet echt romantisch.' Clara glimlachte. 'Hij vertelde over een aangereden hond die hij gevonden had. Bij ons volgende afspraakje nam hij hem mee.'

Jacob merkte dat hij Will benijdde om de uitdrukking op haar gezicht.

'Laten we water gaan zoeken,' zei hij, en hij maakte de paarden los.

Ze vonden een meertje, met een in de steek gelaten kar ernaast. De wielen waren in de modder gezakt en op de vermolmde laadvloer had een reiger zijn nest gebouwd. De paarden staken gulzig hun neus in het water. Valiants ezel waadde er tot aan zijn knieën in, maar toen Clara ook een slok wilde nemen trok Jacob haar terug.

'Watergeesten,' zei hij. 'Die kar was waarschijnlijk van een boerenmeisje. Ze zijn dol op mensenbruiden. En in deze omgeving moeten ze vast vaak lang wachten op een volgende prooi.'

Jacob dacht dat hij de watergeesten hoorde zuchten toen Clara een stap naar achteren deed. Het waren weerzinwekkende wezens, maar ze verslonden hun slachtoffers niet, zoals lorelei. Ze sleurden de meisjes naar hun grotten, waar ze adem konden halen, en gaven hun eten en cadeautjes. Schelpen, parels, sieraden van drenkelingen... Jacob had een tijdje gewerkt voor de vertwijfelde ouders van ontvoerde meisjes. Hij had er drie boven water gekregen – arme, verwarde schepsels die nooit helemaal terugkeerden uit de donkere grotten, waarin ze maandenlang tussen parels en visgraten de slijmerige kussen van een verliefde watergeest hadden moeten verdragen. Een keer had een stel ouders geweigerd te betalen omdat ze hun dochter niet meer herkenden.

Jacob liet de paarden drinken en ging op zoek naar de beek die in het meertje uitkwam. Hij had hem algauw gevonden, een smal stroompje dat uit een rotsspleet sijpelde. Jacob viste de rottende bladeren van het oppervlak en Clara schepte het ijskoude water met haar handen op. Het smaakte grondergig en fris. Jacob zag de vogels pas toen Clara en hij allebei al gedronken hadden. Twee dode leeuweriken, die tegen elkaar aan geperst tussen de natte keien geklemd zaten. Hij spuugde zijn laatste slok uit en trok Clara overeind.

'Wat is er?' vroeg ze geschrokken.

Haar huid rook naar herfst en de wind. *Nee, Jacob.* Maar het was al te laat. Clara verzette zich niet toen hij haar naar zich toe trok. Hij greep haar bij haar haren, kuste haar op haar mond en voelde dat haar hart net zo tekeerging als dat van hem. De kleine hartjes van de leeuweriken waren bezweken aan de gekte, vandaar de naam: leeuwerikwater. Onschuldig, koel en helder, maar één slok en je was verloren. *Laat haar los, Jacob.* Maar hij kuste haar nog een keer, en Clara fluisterde niet Wills naam, maar de zijne.

'Jacob!'

Mens of dier. Even leek Vos allebei tegelijk. Maar het was het dier dat hem beet, zo hard dat hij Clara losliet, al wilde zijn hele wezen haar dicht tegen zich aan houden. Clara wankelde achteruit en ging met een hand over haar mond alsof ze zijn kussen kon wegvegen.

'Kijk eens aan!' Valiant richtte de zaklamp op Jacob en Clara en grijnsde vuil. 'Zullen we je broer dan maar vergeten?'

Vos keek hem aan alsof hij haar een schop had verkocht. Mens en dier, vos en vrouw. Ze leek nog steeds allebei tegelijk, maar toen ze naar de beek liep en de levenloze vogels bekeek was ze helemaal Vos.

'Sinds wanneer ben je zo dom om leeuwerikwater te drinken?'

'Verdomme. Het was donker, Vos.' Zijn hart klopte in zijn keel.

'Leeuwerikwater?' Clara streek met trillende handen het haar uit haar gezicht. Ze keek hem niet aan.

'Ja. Verschrikkelijk.' Valiant schonk haar een overdreven meevoelend lachje. 'Als je ervan drinkt, val je op het lelijkste meisje. Op dwergen heeft het weinig effect. Maar helaas,' voegde hij er met een boosaardige blik op Jacob aan toe, 'was hij hier, en niet ik.'

'Hoe lang werkt het?' Clara's stem was bijna niet te horen.

'Sommigen zeggen dat het effect na de eerste aanval afneemt. Maar er zijn er ook die denken dat het maanden aanhoudt. En heksen...' Valiant grijnsde hatelijk naar Jacob, '...heksen geloven zelfs dat het alleen maar aan de oppervlakte brengt wat er altijd al was.'

'Zo te horen weet jij alles over leeuwerikwater. Stop je het soms in flessen om te verkopen?' viel Jacob uit.

Valiant haalde spijtig zijn schouders op. 'Het is jammer genoeg niet houdbaar. En het effect is onvoorspelbaar. Zonde. Moet je je voorstellen wat een mooi handeltje het zou zijn!'

Jacob voelde dat Clara naar hem keek, maar zodra hij zich naar haar omdraaide wendde ze haar hoofd af. Hij voelde haar huid nog onder zijn vingers.

Hou op, Jacob.

'Hebben jullie de ingang gevonden?' vroeg hij aan Vos.

'Ja.' Ze keerde hem de rug toe. 'Het ruikt er naar dood.'

'Welnee.' Valiant wapperde verachtelijk met zijn hand. 'Het is een natuurlijke tunnel die op een van hun onderaardse wegen uitkomt. Sinds een tijdje laten ze de meeste bewaken, maar deze is redelijk veilig.'

'Redelijk?' Jacob dacht dat hij de littekens op zijn rug voelde. 'En hoe wist jij daarvan?'

Valiant rolde met zijn ogen om zoveel wantrouwen. 'Hun koning heeft de verkoop van een aantal veelgevraagde halfedelstenen verboden, maar gelukkig zijn sommige van zijn onderdanen net zo in gezonde handel geïnteresseerd als ik.'

'Ik zeg dat het er naar dood ruikt.' Vos' stem was nog heser dan anders.

'Jullie mogen ook best de hoofdingang proberen!' zei Valiant spottend. 'Wie weet, misschien is Jacob Reckless toevallig de enige die de koningsvesting binnen kan wandelen zonder in barnsteen gegoten te worden.'

Clara hield haar handen achter haar rug, alsof ze zo kon vergeten wie ze aangeraakt had.

Jacob vermeed het haar aan te kijken. Hij laadde zijn pistolen en haalde wat spullen uit de zadeltassen: de verrekijker, de snuifdoos, het groene flesje en Chanutes mes. Daarna stopte hij zijn jaszakken vol munitie.

Vos zat onder de struiken. Ze dook in elkaar toen Jacob op haar af kwam, net als toen ze in de klem zat en hij haar vond.

'Jij blijft hier om op haar te letten,' zei hij. 'Als ik morgenavond nog niet terug ben, breng je haar naar de ruïne.' Haar. Hij durfde haar naam niet eens uit te spreken.

'Ik wil niet bij haar blijven.'

'Toe nou, Vos.'

'Je komt niet meer terug. Deze keer niet.'

Ze ontblootte haar tanden, maar ze beet niet. In haar beten had hij altijd liefde gevoeld.

'Reckless.' De dwerg porde hem met de kolf van zijn geweer ongeduldig in zijn rug. 'Ik dacht dat je haast had.'

Valiant had het geweer omgevormd tot een avontuurlijk wapen. Het gerucht ging dat metaal onder de handen van dwergen zelfs wortel schoot.

Jacob kwam overeind.

Clara stond nog bij de beek. Toen ze Jacob zag aankomen draaide ze zich vlug om, maar hij trok haar mee. Weg van de dwerg. Weg van Vos en haar boosheid.

'Kijk me aan.'

Ze wilde zich losrukken, maar hij hield haar vast, ook al begon zijn hart daardoor meteen weer sneller te kloppen.

'Het heeft niets te betekenen, Clara. Helemaal niets!'

Haar ogen stonden donker van schaamte.

'Je houdt van Will, hoor je me? Als je dat vergeet, kunnen we hem niet helpen. Dan kan niemand hem helpen.'

Ze knikte, maar in haar ogen zag Jacob de waanzin die hijzelf ook voelde. *Hoe lang werkt het?*

'Je wilde weten wat ik van plan ben.' Hij nam haar handen in de zijne. 'Ik ga de Zwarte Fee zoeken, en dan dwing ik haar Will zijn huid terug te geven.'

Hij zag de schrik in haar ogen en legde waarschuwend een vinger op haar lippen. 'Niet tegen Vos zeggen,' fluisterde hij. 'Anders komt ze achter me aan. Maar ik zweer je: ik zal die fee vinden. Jij maakt Will wakker. En alles komt goed.'

Hij wilde haar vasthouden. Nog nooit had hij iets zo graag gewild.

Zonder om te kijken volgde Jacob Valiant het donker in. En Vos kwam niet achter hem aan.

HOOFDSTUK 35

In de schoot van de aarde

Vos had gelijk. De grot waar Valiant Jacob naartoe bracht rook naar dood, en je had niet de scherpe neus van een vos nodig om het op te merken. Eén blik en Jacob wist wie er woonde.

De grond was bezaaid met botten. Mensenetende reuzen leefden tussen de resten van hun maaltijden, maar hun naam klopte niet helemaal. Ze aten ook goyl en dwergen. Tussen de botten lagen de spullen die de slachtoffers zichtbaar maakten: een zakhorloge, een gescheurde mouw van een jurk, een kinderschoentje – onthutsend klein – een notitieboekje met opgedroogd bloed op de bladzijden. In een reflex draaide Jacob zich om om Clara te gaan waarschuwen, maar de dwerg trok hem mee.

'Maak je geen zorgen,' siste Valiant. 'De goyl hebben alle menseneters in deze omgeving allang gedood. Maar deze tunnel hebben ze gelukkig nooit ontdekt.'

De spleet in de rotswand was breed genoeg voor een dwerg, maar Jacob moest zich erdoor persen. De tunnel erachter was zo laag dat hij de eerste meters nauwelijks rechtop kon lopen, en algauw voerde hij vervaarlijk steil de diepte in. Jacob kreeg bijna geen lucht in de krappe gang en haalde opgelucht adem toen ze eindelijk op een van de onderaardse wegen stuitten die de vestingen van de goyl met elkaar verbonden. De weg was zo breed als een laan in een mensenstad en geplaveid met fosforescerende stenen. In het schijnsel van de zaklamp gaf de weg een mat licht. Jacob dacht in de verte machines te horen, en een zoemen als van wespen in een boomgaard.

'Wat is dat?' vroeg hij zacht.

'Insecten die het rioolwater zuiveren. Goylsteden ruiken een stuk frisser dan die van ons.'

Valiant haalde een pen uit zijn zak. 'Even bukken! Tijd voor je slaventeken. P voor Prussan,' fluisterde hij, terwijl hij de letter op Jacobs voorhoofd schreef. 'Dat is de naam van je eigenaar, mochten ze je ernaar vragen. Prussan is een handelaar met wie ik zaken doe. Zijn slaven zijn trouwens wel een stuk schoner dan jij, en ze dragen zeer zeker geen wapenriem. Geef die maar liever aan mij.'

Jacob knoopte zijn jas dicht over zijn riem. 'Nee, bedankt,' fluisterde hij terug. 'Als ze me aanhouden wil ik liever niet van jou afhankelijk zijn.'

De volgende weg die ze kruisten was zo breed als de avenues in de keizerlijke hoofdstad, maar deze werd omzoomd door rotswanden in plaats van bomen, en toen Valiant de zaklamp erlangs liet gaan, maakten zich koppen los uit de duisternis. Jacob had altijd gedacht dat het een sprookje was dat de goyl hun helden eerden door hun hoofden te verwerken in de muren van hun vestingen. Maar blijkbaar zat er een duistere kern van waarheid in het verhaal, zoals in alle sprookjes. Honderden doden keken op hen neer. Duizenden. Hoofd aan hoofd, als groteske bouwstenen. Goylgezichten veranderden niet in de dood, maar de uitgedoofde ogen waren vervangen door goudtopaas.

Valiant bleef niet lang op de avenue van de doden. Hij nam smalle tunnels die als bergweggetjes omlaag voerden, steeds dieper de aarde in. Af en toe zag Jacob licht aan het einde van een tunnel, of voelde hij het kabaal van machines als een trillen op zijn huid. Een paar keer hoorden ze hoefgetrappel of het geratel van wagenwielen, maar gelukkig zaten er in de rotswanden genoeg donkere holen waar ze zich in een woud van stalagmieten of achter een gordijn van druipsteen konden verstoppen.

Het geluid van druppelend water was overal, constant en onontkoombaar, en om hen heen openbaarden zich de wonderen die dat water in de loop van duizenden jaren gevormd had: kalkwitte cascaden van steen, die als bevroren water langs de wanden golfden, wouden van zandstenen naalden die aan het plafond hingen en bloemen van kristal die bloeiden in de duisternis. In veel grotten was nauwelijks een spoor van de goyl te vinden, behalve misschien een recht pad dat door de stenen wirwar liep, of een hoekige tunnelopening in de rotswand. In andere zagen ze stenen façades en mozaïeken die uit een ver verleden leken te stammen – ruïnes tussen de zuilen die het gesteente had voortgebracht.

Jacob had het gevoel dat ze al dagen door deze onderaardse

wereld dwaalden, toen ze bij een grot kwamen met een meer erin. Op de wanden groeiden planten die geen zonlicht nodig hadden, en over het water liep een eindeloze brug, niet veel meer dan een met staal verstevigde stenen boog. Elke stap op de brug galmde griezelig luid door de hoge grot en joeg zwermen vleermuizen op. Halverwege bleef Valiant zo abrupt staan dat Jacob tegen hem op botste.

De dode die hun de weg versperde was geen goyl, maar een mens. Het teken van de koning was op zijn voorhoofd getatoeëerd, en hij had beten in zijn borst en keel.

'Een krijgsgevangene. Die gebruiken ze als slaaf.' Valiant keek oplettend naar het plafond.

Jacob trok zijn pistool. 'Waar is hij aan doodgegaan?'

De dwerg scheen met de zaklamp tussen de stalactieten aan het plafond.

'De wachters,' fluisterde hij. 'Die fokken ze als waakhonden voor de buitenste tunnels en wegen. Ze komen alleen in actie als ze iets anders ruiken dan goyl. Maar op deze route heb ik nog nooit problemen met ze gehad! Wacht!'

De lichtbundel vond een paar beangstigend grote gaten tussen de stalactieten. Valiant vloekte binnensmonds.

Een luid gepiep sneed door de stilte. Doordringend als een alarmkreet.

'Rennen!' De dwerg sprong over het dode lichaam en trok Jacob mee.

Op slag was de grot vol van het gefladder van leerachtige vleugels. De wachters doken als roofvogels tussen de stalactieten omlaag: bleke, mensachtige wezens met vleugels die uitliepen in scherpe klauwen. Ze hadden melkwitte ogen, de ogen van blinden, maar kennelijk wezen hun oren hun precies de weg. Jacob doodde er twee in hun vlucht en Valiant schoot er een dood die zich met zijn vleugels in Jacobs rug haakte, maar boven hen kwamen er alweer drie uit hun holen gekropen. Een ervan probeerde het pistool uit Jacobs hand te grissen. Jacob gaf hem een kopstoot en hakte hem met zijn sabel een vleugel af. Het gedrocht begon schel te krijsen. Even was Jacob bang dat er nog tientallen op het lawaai zouden afkomen, maar gelukkig bleken niet alle gaten bewoond.

De wachters waren logge aanvallers, maar aan het eind van de brug lukte het een van hen om de dwerg naar de grond te trekken. Voor hij zijn tanden in Valiants keel kon zetten stak Jacob zijn sabel tussen de schouderbladen van het wezen. Van dichtbij was zijn gezicht net dat van een menselijke embryo. Ook de rest van zijn lichaam had iets kinderlijks, en Jacob werd misselijk alsof hij nooit eerder iemand gedood had.

Met beten in armen en schouders brachten ze zich in de dichtstbijzijnde tunnel in veiligheid. De beten waren niet al te diep, en Valiant was te kwaad om zich te verbazen over het jodium dat Jacob in zijn wonden liet druppelen.

‘Het is te hopen dat die goudboom een hele tijd meegaat,’ mopperde hij, terwijl Jacob zijn hand verbond, ‘want je staat nu al dik bij me in het krijt.’

Boven de brug cirkelden nog twee wachters. Ze kwamen niet achter hen aan de tunnel in, maar het gevecht met de monsters had Jacob zo uitgeput dat hij het steeds benauwder kreeg. Het leek wel of er nooit een einde kwam aan de donkere straten. Hij vroeg zich juist af of de dwerg niet toch weer een smerig spelletje met hem speelde toen de tunnel een bocht maakte en eindigde in een poel van licht.

‘En daar is het dan!’ fluisterde Valiant. ‘De schuilplaats van het beest. Of het hol van de leeuw, dat hangt ervan af aan welke kant je staat.'

Het was zo'n immense grot dat Jacob met geen mogelijkheid kon zien waar hij ophield. Ontelbare lampen verspreidden het fletse licht dat goylogen prettig vonden, maar ze leken op elektriciteit te branden in plaats van gas en verlichtten een stad die eruitzag alsof hij door het gesteente zelf was voortgebracht. Huizen, torens en paleizen staken uit de bodem en plakten aan de wanden als de raten van een wespennest, en tientallen ijzeren bruggen liepen over de huizenzee, alsof niets zo makkelijk was als bouwen in de lucht. De pijlers staken als bomen tussen de daken uit; op sommige bruggen stonden huizen, net als op middeleeuwse bruggen in de andere wereld. Het waren zwevende straatjes onder een hemel van zandsteen, die deden denken aan een ijzeren spinnenweb. En Jacobs blik ging nog verder omhoog, helemaal tot aan het plafond van de grot, waaraan drie reusachtige stalactieten hingen. De grootste was bezet met kristallen torens die omlaag wezen, en het hele bouwwerk lichtte op alsof het doordrenkt was van het maanlicht uit de bovengrondse wereld.

'Is dat het paleis?' vroeg Jacob zacht. 'Geen wonder dat ze niet echt onder de indruk zijn van onze gebouwen. En wanneer hebben ze die bruggen gebouwd?'

'Weet ik veel!' antwoordde Valiant. 'Op dwergenscholen krijg je geen goylgeschiedenis. Het paleis schijnt meer dan zevenhonderd jaar oud te zijn, maar de koning heeft plannen voor een modernere versie, want hij vindt het te ouderwets. De twee stalactieten ernaast zijn legerbarakken en gevangenissen.' De dwerg grijnsde sluw. 'Wil je dat ik uitzoek waar je broer zit? Die gouden daalders van je maken vast ook goyltongen los. Maar natuurlijk moet je mij dan ook extra betalen.'

Toen Jacob hem drie daalders in de hand drukte, kon Valiant zich niet beheersen. Hij ging op zijn tenen staan en stak zijn korte vingertjes in Jacobs jaszak.

'Niets!' mompelde hij. 'Helemaal niets. Is het die jas? Nee, bij die andere jas werkte het ook. Groeien ze soms tussen je vingers?'

'Goed geraden,' antwoordde Jacob. Hij trok de hand van de dwerg uit zijn zak voor die zich om de zakdoek kon sluiten.

Valiant liet het goud in zijn zijden zak glijden. 'Ooit kom ik erachter,' bromde hij. 'En nu: hoofd omlaag. Blik op de grond. Je bent een slaaf.'

De straatjes die tussen de huizen door langs de rotswanden omhoogliepen waren voor mensen nog ontoegankelijker dan de straten van Terpevas. Vaak waren ze zo steil dat Jacobs voeten hulpeloos weggleden en hij zich aan een deurpost of raamkozijn moest vasthouden. Valiant liep daarentegen net zo vlot door als de goyl. De mensen die ze tegenkwamen zagen grauw door gebrek aan zonlicht, en de meeste hadden de letter van hun eigenaar op hun voorhoofd. Ze letten net zomin op Jacob als de goyl die hun in de schemerige doolhof van huizen tegemoetkwamen. De dwerg aan zijn zijde leek inderdaad verklaring genoeg, en Valiant schepte er plezier in om hem als een pakezel te bedelven onder wat hij op de kop tikte in de winkels waar hij naar Will informeerde.

'Bingo!' zei hij, nadat hij Jacob bijna een halfuur voor de werkplaats van een edelsmid had laten wachten. 'Goed nieuws en slecht nieuws. Het goede nieuws is: ik weet wat we wilden weten. De adjudant van de koning heeft een gevangene de vesting binnengebracht, iemand die in opdracht van de Zwarte Fee is opgespoord. Die adjudant moet onze jaspisvriend zijn. Maar dat zijn gevangene een huid van jade heeft is hier nog niet doorgedrongen.'

'En wat is het slechte nieuws?'

'Hij is in het paleis, in de verblijven van de Zwarte Fee, en hij slaapt zo diep dat niemand hem wakker krijgt. Ik neem aan dat jij wel weet wat dat te betekenen heeft?'

'Ja.' Jacob keek op naar de grote stalactiet.

'Vergeet het maar!' fluisterde de dwerg. 'Je broer had net zo goed in rook op kunnen gaan. De vertrekken van de fee zitten in het uiterste puntje. Je zou je een weg door het hele paleis moeten vechten. Zelfs jij bent niet gek genoeg om dat te proberen.'

Jacob bestudeerde de donkere ramen in de glinsterende façade.

'Kun jij een audiëntie krijgen bij de officier met wie je zakendoet?'

'En dan?' Valiant schudde spottend zijn hoofd. 'De slaven in het paleis hebben het teken van de koning in hun voorhoofd gebrand. Zelfs al is je broederliefde groot genoeg om jezelf dat aan te doen – geen slaaf mag buiten de bovenste delen van het paleis komen.'

'En die bruggen?'

'Wat is daarmee?'

Twee bruggen waren verbonden met het paleis. De ene was een spoorbrug, die in het bovenste gedeelte in een tunnel verdween. De andere, halverwege in de stalactiet verankerd, was een brug met huizen erop. Op het punt waar de brug en het paleis samenkwamen stonden geen huizen, en de onyxzwarte poort was duidelijk te zien, evenals de wachtposten ervoor.

'Die blik in je ogen bevalt me helemaal niet,' zei Valiant.

Maar Jacob lette niet op hem. Eerst bekeek hij de ijzeren balken die de huizenbrug droegen. Van deze afstand zag het eruit alsof ze naderhand aangebracht waren om een oude stenen constructie te stutten. Als metalen klauwen klampten ze zich vast aan de zijkant van het hangende paleis.

Jacob stelde zich verdekt op in een portiek en richtte zijn verrekijker op de stalactiet. 'Er zitten geen tralies voor de ramen,' fluisterde hij.

'Waarom zouden er tralies voor zitten?' fluisterde Valiant terug. 'Alleen vogels en vleermuizen komen in de buurt. Jij denkt zeker dat je een vogel of een vleermuis bent.'

Er liep een groepje kinderen door de steeg. Jacob had nog nooit een goylkind gezien, en een krankzinnig ogenblik lang dacht hij in een van de jongens zijn broertje te herkennen. Toen ze voorbij waren, stond Valiant nog steeds naar de brug te kijken.

'Wacht!' siste hij. 'Nu snap ik wat je van plan bent! Dat is zelfmoord!'

Jacob stak de verrekijker weer in zijn jaszak. 'Als je die goudboom wilt hebben, moet je me naar de brug brengen.'

Hij zou Will vinden. Ook al had hij dan zijn meisje gekust.

HOOFDSTUK 36

De verkeerde naam

'Vos?' Daar. Nu riep ze haar alweer. En Vos stelde zich voor hoe de watergeest haar aan haar blonde haren het meertje in sleurde. Hoe de wolven haar aan flarden scheurden. Of de dwerg haar op een slavenmarkt verkocht. De Rode Fee had Vos nooit dit gevoel gegeven. Evenmin als die heks die Jacob jaren geleden bijna elke nacht in haar hut opzocht. Of als de kamenierster van de keizerin met haar zoetige bloemetjesgeur, die ze wekenlang in zijn kleren geroken had.

'Vos? Waar ben je?'

Hou je mond!

Vos dook in elkaar onder de struiken en wist niet meer of ze huid had of vacht. Ze wilde haar vacht niet meer. Ze wilde huid en lippen die hij kon kussen, zoals hij Clara's lippen gekust had. Ze zag haar in zijn armen. Telkens weer.

Jacob.

Wat was dat toch? Die hunkering die in haar trok en schrijnde als honger of dorst? Geen liefde. Liefde was warm en zacht als een bed van bladeren. Maar dit was donker als de schaduw onder een giftige struik – en leeg. Zo leeg.

Er moest een andere naam voor zijn. Er kon niet maar één woord zijn voor leven en dood, één naam voor zon en maan.

Jacob. Zelfs zijn naam smaakte opeens anders. En Vos voelde de koude wind weer langs haar mensenhuid strijken.

'Vos?' Clara knielde voor haar in het vochtige mos.

Haar haar was net goud. Vos' haar was altijd rood, rood als de vacht van de vos. Ze kon zich niet herinneren of het ooit anders geweest was.

Ze duwde Clara aan de kant en stond op. Het deed haar goed om net zo groot te zijn als zij.

'Vos.' Clara probeerde haar vast te houden toen ze langs haar heen wilde.

'Ik weet niet eens je naam. Je echte naam.'

Echt? Wat was er echt aan? En wat ging haar dat aan? Zelfs Jacob kende haar mensennaam niet. *'Celeste, was je handen. Kam je haren.'*

'En? Voel je het nog steeds?' Vos keek haar recht in haar blauwe ogen. Jacob kon liegen terwijl hij iemand aankeek. Daar was hij heel goed in, maar zelfs hij kon Vos niets wijsmaken.

Clara wendde haar blik af, maar Vos rook wat ze voelde: al haar angst en schaamte.

'Heb jij wel eens leeuwerikwater gedronken?'

'Nee,' antwoordde Vos minachtend. 'Vossen zijn niet zo dom.' Al was dat een leugen.

Clara staarde naar de beek. De dode leeuweriken die klem zaten tussen de keien. Clara. Haar naam deed denken aan glas en koel water, en Vos had haar heel graag gemogen – tot ze Jacob kuste.

Het deed pijn.

Haal je vacht terug, Vos. Maar ze kon het niet. Ze wilde haar huid voelen, haar handen en de lippen waarmee je kon kussen. Vos keerde Clara de rug toe, want ze was bang dat haar mensengezicht dat allemaal zou verraden. Ze wist niet eens precies hoe het eruitzag. Was het mooi of lelijk? Haar moeder was knap geweest, maar toch had haar vader haar geslagen. Of misschien juist daarom.

'Waarom ben je liever een vos?' De nacht kleurde Clara's ogen zwart. 'Is de wereld dan makkelijker te begrijpen?'

'Vossen proberen de wereld niet te begrijpen.'

Clara wreef over haar armen alsof ze Jacobs handen nog kon voelen. En Vos zag dat zij ook wel een vacht zou willen hebben.

HOOFDSTUK 37

De ramen van de Zwarte Fee

Slagers, kleermakers, bakkers, edelsmeden – de brug naar het hangende paleis was een winkelstraat op duizelingwekkende hoogte. In de etalages lagen de edelstenen van deze wereld naast hagedissenvlees en de zwarte kool die geen zonlicht nodig had om te groeien, lagen brood en fruit uit de bovengrondse provincies naast de gedroogde kevers die de goyl als een delicatesse beschouwden. Maar het enige wat Jacob interesseerde was het paleis aan het einde van de winkelrij.

Als een kroonluchter van zandsteen hing het aan het plafond van de grot. Jacob werd duizelig toen hij zich tussen twee winkels over de reling van de brug boog en naar beneden keek, waar de stalactiet uitliep in een kroon van kristallen, met glinsterende punten die reikten naar de leegte.

‘Welke ramen zijn van de Zwarte Fee?’

‘Die van malachiet.’ Valiant keek nerveus om zich heen.

Er waren veel soldaten op de brug, niet alleen als wachtposten voor de poort van het paleis, maar ook in de menigte die langs de winkels slenterde. Bijna alle goylvrouwen droegen een jurk die van boven tot onder bezet was met steen in de kleur van hun huid. Het was tot flinterdunne schilfertjes geslepen, waardoor de stof glinsterde als slangenhuid, en Jacob betrapte zich erop dat hij zich afvroeg hoe Clara eruit zou zien in zo’n jurk. *Hoe lang werkt het?*

De ramen van de fee waren groene ogen in het lichte zandsteen. De ijzeren dragers van de brug waren amper twintig meter erboven in de muur verankerd, maar de paleisfaçade was spiegelglad en bood in tegenstelling tot de andere stalactieten geen enkel houvast.

En toch. Hij moest het proberen.

Achter hem mompelde Valiant iets over de beperkingen van het menselijke verstand, maar Jacob haalde de snuifdoos uit zijn zak. Daarin zat een van de nuttigste magische voorwerpen die hij ooit gevonden had: een lange gouden haar. De dwerg verstomde toen Jacob hem tussen zijn handen heen en weer liet gaan. De haar bracht de ene na de andere vezel voort, van goud en fijn als spinnenweb. Algauw was het draad zo dik als Jacobs middelvinger en sterker dan welk touw in welke wereld dan ook. Maar niet alleen daarom was het zo bruikbaar. Het had ook andere, nog wonderlijker eigenschappen. Het nam precies de lengte aan die je nodig had en hechtte zich aan het punt waar je naar keek als je het wegslingerde.

‘Een rapunzelhaar. Slim hoor!’ fluisterde Valiant, toen Jacob het touw ter hand nam en naar de groene ramen in de diepte keek. 'Maar dit helpt niet tegen de wachtposten! Ze zien je net zo duidelijk gaan als een tor die over hun gezicht kruipt!'

Bij wijze van antwoord haalde Jacob het groene flesje uit zijn zak. Hij had het gestolen van een stilt, en het was gevuld met slakkenslijm dat een paar uur onzichtbaar maakte. De roofslakken die het produceerden kropen dankzij dit hulpmiddel ongezien op alles af wat ze lekker vonden, en stilten en duimelijnen kweekten de slakken om net zo onzichtbaar op jacht te kunnen gaan. Je moest het slijm onder je neus smeren – een onsmakelijk klusje, al rook het nergens naar – en dan werkte het meteen. Het enige probleem was dat je er urenlang misselijk van was en dat je verlamd kon raken als je het te vaak gebruikte.

'Verdwijnslijm en rapunzelhaar.' Jacob bespeurde een zweem van bewondering in de woorden van de dwerg. 'Ik moet zeggen dat je uitrusting niets te wensen overlaat. En toch wil ik weten waar die goudboom groeit voor je aan de afdaling begint.'

Maar Jacob smeerde het slijm al onder zijn neus.

'Vergeet het maar,' zei hij. 'Straks heb je toch weer iets voor me verzwegen en staan de bewakers me daar al op te wachten. Het touw houdt maar één persoon tegelijk, dus jij blijft hier, maar als die wachtposten alarm slaan kun je maar beter voor afleiding zorgen, anders kun je die goudboom wel op je buik schrijven.'

Voor de dwerg kon protesteren klom Jacob over de reling. Het slijm begon al te werken; toen hij zich op de ijzeren dragers liet zakken zag hij zijn handen al niet meer. Hij hield zich stevig vast en wierp het touw. Het kronkelde door de lucht als een slang die door het water zwom, tot het zich vastmaakte aan een richel tussen de malachietramen.

En als je Will daar nou inderdaad vindt, Jacob? Al verbreek je de vloek van de Zwarte Fee – hij slaapt! Hoe wil je hem de vesting uit krijgen? Hij had er geen antwoord op. Hij wist alleen dat hij het moest proberen.

En hij wist dat hij Clara's lippen nog steeds op de zijne voelde.

Het was makkelijk klimmen langs rapunzelhaar; het touw voegde zich naar zijn handen. Jacob probeerde niet aan de diepte onder hem te denken. *Alles komt goed.* De stalactiet kwam steeds dichterbij, gebeeldhouwd als een spier van steen. Het slijm maakte hem nu al misselijk. *Nog maar een paar meter, Jacob. Niet naar beneden kijken. Vergeet hoe diep het is.*

Hij klampte zich vast aan het strakgespannen touw en klauterde verder, tot zijn onzichtbare handen eindelijk de gladde muur raakten. Zijn voeten vonden houvast op de richel en hij drukte zich plat tegen het koele steen om op adem te komen. Links en rechts van hem blonken als versteend water de ramen van de fee. *Wat nu, Jacob? Wou je ze inslaan? Dan komen al die wachters aangesneld.*

Hij trok Chanutes mes en zette de punt tegen het glas. Hij zag de in maansteen gevatte gaten pas toen de slang eruit schoot. Maansteen, zo bleek als de schubben van de slang of de huid van zijn meesteres. Het dier wikkelde zich om Jacobs nek voor hij begreep wat er gebeurde. Hij probeerde de slang te steken, maar het beest hield hem zo stevig in zijn greep dat hij het mes uit zijn handen liet vallen en alleen nog maar wild naar het schubbige lijf kon graaien. Zijn voeten gleden van de richel en hij hing als een gestrikte vogel boven de afgrond, met om zijn nek de wurgende slang. Naast hem kwamen nog twee slangen uit een gat gekropen. Ze slingerden zich om zijn borst en benen. Jacob hapte naar adem, maar hij kreeg geen lucht meer. Het laatste wat hij zag was het gouden touw dat zich van de richel losmaakte en boven hem in het donker verdween.

HOOFDSTUK 38

Gevonden en verloren

Zandstenen muren en een traliedeur. Een laars van hagedissenleer die hem in zijn zij schopte. Grijze uniformen in de rode mist die zijn hoofd vulde. Maar de slangen waren tenminste weg en hij kon weer ademhalen. De dwerg had hem weer eens verkocht. Dat was de enige gedachte die door de mist heen drong. Waar? *In een van die winkels waar jij als een schaap voor hebt staan wachten, Jacob?*

Hij wilde gaan zitten, maar zijn handen waren geboeid, en hij had zo'n pijn in zijn keel dat hij bijna niet kon slikken.

'Wie heeft je teruggehaald van de doden? Haar zuster?'

De jaspisgoyl maakte zich los uit het donker.

'Ik geloofde de fee niet toen ze zei dat je nog leefde. Het was namelijk een goed schot.' Hij sprak het dialect van het keizerrijk, met een zwaar accent. 'Ze heeft zelf laten rondbazuinen dat je broer bij haar is, en jij bent als een vlieg in het web gevlogen. Helaas voor jou hou je die slangen zelfs met verdwijnslijm niet voor de gek. Maar je hebt het wel handiger aangepakt dan die twee onyxgoyl die laatst in de vertrekken van de koning probeerden te komen. We hebben ze van de daken van de stad moeten krabben.'

Jacob duwde met zijn rug tegen de muur en slaagde erin te gaan zitten. De cel waar ze hem in gestopt hadden verschilde in niets van de cellen in mensengevangenissen: dezelfde tralies, dezelfde wanhopige krabbels op de muren.

'Waar is mijn broer?' Hij klonk zo schor dat hij het zelf amper verstond, en hij was misselijk van het slijm.

De goyl gaf geen antwoord. 'Waar heb je dat meisje gelaten?' vroeg hij in plaats daarvan.

Hij had het vast niet over Vos. Maar wat wilden ze van Clara? Valiant had dus echt een zwak voor haar, anders had hij haar ook wel verraden.

Doe alsof je neus bloedt, Jacob.

'Welk meisje?' Die vraag leverde hem een schop in zijn maag op die hem bijna net zo naar adem deed snakken als de slang had gedaan. De soldaat die de schop uitdeelde was een vrouw. Haar gezicht kwam Jacob bekend voor. Natuurlijk, hij had haar in het dal van de eenhoorns uit het zadel geschoten. Ze stond al klaar om opnieuw uit te halen, maar de jaspisgoyl hield haar tegen.

'Laat dat, Nesser,' zei hij. 'Zo zijn we nog uren bezig.'

Jacob had van hun schorpioenen gehoord.

Nesser liet de eerste bijna teder over haar stenen handen kruipen voor ze hem op Jacobs borst zette. De schorpioen was kleurloos en niet veel groter dan Jacobs duim. Zijn scharen glansden zilverachtig, als metaal.

'Op goylhuid kunnen ze weinig uitrichten,' zei de jaspisgoyl terwijl de schorpioen onder Jacobs hemd kroop, 'maar jullie huid is een stuk weker. Dus nog een keer: waar is het meisje?'

De schorpioen begroef zijn scharen in Jacobs borst alsof hij hem levend wilde verslinden. Jacob verbeet zijn pijn, tot het dier zijn angel in zijn vlees stak. Het gif verspreidde een verzengend vuur onder zijn huid. Hij hijgde van angst en pijn.

'Waar is het meisje?'

De goylvrouw zette nog drie schorpioenen op zijn borst. 'Waar is het meisje?' Steeds dezelfde vraag. Jacob schreeuwde zich schor van de pijn en verlangde alleen nog maar naar Wills jadehuid. Wat wilden ze van Clara? Kwam zij ook in hun verhalen voor, net als zijn broer? Hij vroeg zich af of het gif tenminste het leeuwerikwater weg zou branden, waarna hij eindelijk het bewustzijn verloor.

Toen Jacob wakker werd kon hij zich niet herinneren of hij de goyl verteld had wat ze weten wilden. Hij lag in een andere cel. Door het raam zag hij het hangende paleis. Zijn hele lichaam deed pijn, alsof zijn huid van top tot teen verbrand was. Zijn wapenriem was weg, net als de complete inhoud van zijn zakken, maar gelukkig hadden ze hem de zakdoek laten houden. *Gelukkig, Jacob? Wat heb je nou aan gouden munten?* Goylsoldaten stonden erom bekend dat ze zich niet lieten omkopen.

Het lukte hem om op zijn knieën te gaan zitten. Zijn cel

was alleen door tralies gescheiden van de cel naast hem, en toen hij tussen de spijlen door keek vergat hij op slag zijn pijn.

Will.

Jacob zette zijn schouder tegen de muur en kwam met moeite overeind. Zijn broer lag er voor dood bij, maar hij ademde wel en op zijn voorhoofd en wangen waren nog steeds restjes mensenhuid te zien. De Rode Fee had zich aan haar belofte gehouden en de tijd stilgezet.

Op de gang naderden voetstappen. Jacob drukte zich met zijn rug tegen de tralies waarachter zijn broer lag te slapen. De jaspisgoyl kwam met twee wachters hun kant op. Hentzau – Jacob wist inmiddels hoe hij heette. Toen hij zag wie ze achter zich aan sleepten, kreeg hij zin om met zijn hoofd tegen de tralies te beuken.

Hij had hun verteld wat ze weten wilden.

Clara had een bloedige snee in haar voorhoofd en haar ogen waren groot van angst. Waar is Vos? wilde Jacob vragen, maar ze zag hem niet eens. Ze zag alleen zijn broer.

Hentzau duwde haar Wills cel in. Clara deed een stap naar hem toe en bleef toen verdwaasd staan, alsof ze zich opeens herinnerde dat ze nog maar een paar uur geleden de andere broer gekust had.

'Clara.'

Ze draaide zich om. Jacob zag zoveel verschillende dingen in haar gezicht: schrik, bezorgdheid, wanhoop – en schaamte.

Clara liep naar de tralies toe en voelde aan de wurgstriemen in Jacobs hals. 'Wat hebben ze met je gedaan?' fluisterde ze.

'Het stelt niets voor. Waar is Vos?'

'Die hebben ze ook gevangengenomen.'

Toen de goyl voor hun cellen in de houding sprongen greep ze naar zijn hand. Zelfs Hentzau rechtte zijn schouders, al was het duidelijk met tegenzin, en Jacob wist meteen wie de vrouw was die door de gang op hen af kwam.

Het haar van de Zwarte Fee was lichter dan dat van haar zusters, maar Jacob hoefde zich niet af te vragen hoe ze aan haar naam kwam. Hij voelde haar donkerte als een schaduw op zijn huid. Toch was het niet van angst dat zijn hart sneller begon te kloppen.

Je hoeft haar niet meer te zoeken, Jacob. Ze komt al naar jou toe!

Clara deinsde achteruit toen de fee Wills cel binnenstapte, maar Jacob sloot zijn vingers om de tralies die hem van haar scheidden. *Kom dichterbij! Vooruit, kom dan!* dacht hij. Hij hoefde haar alleen maar aan te raken, en de drie lettergrepen uit te spreken die haar zuster hem ingefluisterd had. Maar aan de andere kant van de tralies was de fee net zo onbereikbaar als wanneer ze in het bed van haar koninklijke geliefde had gelegen. Haar huid leek van parelmoer en bij haar schoonheid verbleekte zelfs die van haar rode zuster, maar Jacob zag alleen Clara. Hij speurde in het gezicht van zijn broer naar het tegengif; hij kon het niet vinden.

De Zwarte Fee bekeek Clara met de weerzin die haar soortgenoten voor alle mensenvrouwen voelden.

'Hou je van hem?' Ze streelde Wills slapende gezicht. 'Vooruit, zeg het maar.'

Clara deed nog een stap achteruit – haar eigen schaduw kwam tot leven en legde zwarte vingers om haar enkels. Geschrokken deinsde ze terug.

'Geef antwoord, Clara,' zei Jacob.

'Ja!' stamelde ze. 'Ja, ik hou van hem.'

Clara's schaduw werd weer gewoon een schaduw. De fee glimlachte.

'Mooi. Dan wil je vast graag dat hij wakker wordt. Je hoeft hem alleen maar te kussen.'

Clara keek hulpzoekend naar Jacob.

Nee! wilde hij zeggen. *Doe het niet!* Maar zijn tong gehoorzaamde hem niet meer. Zijn lippen waren gevoelloos, alsof de fee ze verzegeld had. Hij kon alleen maar hulpeloos toezien hoe ze Clara bij een arm pakte en naar Will toe trok.

'Kijk hem nou eens,' zei ze. 'Als je hem niet wakker maakt, blijft hij voor altijd zo liggen, niet dood en niet levend, tot zelfs zijn ziel in zijn verwelkte lichaam tot stof vergaan is.'

Clara wilde zich afwenden, maar de fee hield haar vast.

'Is dat liefde?' hoorde Jacob haar fluisteren. 'Om hem zo in de steek te laten, alleen omdat zijn huid niet meer zo zacht is als die van jou? Laat hem gaan.'

Clara ging voorzichtig met een hand over Wills versteende gezicht.

De fee liet haar arm los en deed glimlachend een stap opzij.

'Leg al je liefde in je kus,' zei ze. 'Je zult zien, liefde sterft niet zo makkelijk als je denkt.'

En Clara deed haar ogen dicht, alsof ze Wills versteende gezicht probeerde te vergeten. Ze kuste hem.

HOOFDSTUK 39

Wakker

Even hoopte Jacob tegen beter weten in dat degene die overeind kwam nog steeds zijn broer was. Maar Clara's gezicht vertelde hem de waarheid. Ze deinsde geschrokken voor Will terug en keek Jacob zo radeloos aan dat hij zijn eigen pijn een moment lang vergat.

Zijn broertje was weg.

Het laatste restje mensenhuid was verdwenen. Will was alleen nog maar ademend steen – het vertrouwde lichaam, in jade gevat als een dood insect in barnsteen.

Goyl.

Will kwam van de zandstenen bank waarop hij gelegen had en schonk niet de minste aandacht aan Jacob of Clara. Zijn blik zocht maar één gezicht: dat van de fee. Jacob voelde hoe de pijn alle beschermende schalen stuksloeg die hij in zoveel jaren rond zijn hart gekweekt had. Het was weer net zo weerloos als toen hij als kind in de lege kamer van zijn vader stond. En net als toen was er geen troost. Alleen liefde. En pijn.

'Will!' Clara fluisterde zijn naam alsof ze het tegen een dode had. Ze deed een stap naar hem toe, maar de Zwarte Fee versperde haar de weg.

'Laat hem gaan,' zei ze.

De bewakers maakten de celdeur open en de fee trok Will mee.

'Kom,' zei ze. 'Het is tijd om wakker te worden. Je hebt al veel te lang geslapen.'

Clara keek hen na tot ze in de donkere gang verdwenen waren. Toen draaide ze zich om naar Jacob. Verwijt, wanhoop, schuldgevoel. Ze maakten haar ogen nog donkerder dan die van de fee. *Wat heb ik gedaan?* vroegen ze. *Waarom heb jij dit niet voorkomen? Je had toch beloofd dat je hem zou beschermen?* Maar misschien las hij alleen maar zijn eigen gedachten in haar blik.

Een van de bewakers wees naar hem met zijn geweer. 'Die daar maar doodschieten?' vroeg hij.

Hentzau haalde een pistool uit zijn riem, het pistool dat ze Jacob afgepakt hadden. Hij maakte de patroonhouder los en bestudeerde die als het binnenste van een zeldzame vrucht.

'Dit is een interessant wapen. Waar heb je dit vandaan?'

Jacob keerde hem de rug toe.

Schiet nou maar gewoon, dacht hij. De cel, de goyl, het hangende paleis. Alles om hem heen leek onwerkelijk. De feeën en de betoverde wouden, de vos die een meisje was – het was niet meer dan de koortsdroom van een twaalfjarige. Jacob zag zichzelf weer in de deuropening van zijn vaders kamer staan, met Will die nieuwsgierig langs hem heen keek, naar de stoffige modelvliegtuigjes, de oude pistolen. En de spiegel.

'Draai je om,' zei Hentzau ongeduldig. Hun woede was zo makkelijk gewekt. Hij sluimerde vlak onder hun stenen huid.

Maar Jacob deed niet wat hij zei.

'Dezelfde arrogantie.' Hij hoorde de goyl lachen.

'Je broer lijkt helemaal niet op hem,' vervolgde hij. 'Daarom wist ik niet meteen waarom jij me zo bekend voorkwam. En hij was natuurlijk een stuk ouder. Jij hebt dezelfde ogen, dezelfde mond. Maar je vader wist zijn angst niet half zo goed te verbergen als jij.'

Jacob draaide zich om. *Wat ben je toch een stomkop, Jacob Reckless.*

'De goyl hebben de beste ingenieurs.' Hoe vaak had hij die zin achter de spiegel al niet gehoord – of het nu in Schwanstein was of als verzuchting van de officieren van de keizerin –, en nooit had hij er verder bij nagedacht.

De vader gevonden, de broer verloren.

'Waar is hij?' vroeg hij.

Hentzau trok zijn wenkbrauwen op. 'Ik hoopte eigenlijk dat jij mij dat kon vertellen. Vijf jaar geleden hebben we hem in Blenheim gevangengenomen. Hij zou daar een brug bouwen, omdat de bewoners er genoeg van hadden om door lorelei opgegeten te worden. De rivier zat er toen al vol mee, al wordt nog zo vaak beweerd dat de fee ze heeft uitgezet. John Reckless – zo noemde hij zich. Hij had altijd een foto van zijn zonen op zak. Kami'en heeft hem een camera laten bouwen, lang voordat de uitvinders van de keizerin op het idee kwamen. We hebben veel van hem geleerd. Maar wie had kunnen denken dat een van zijn zonen op een dag een jadehuid zou krijgen!'

Hentzau streek over de ouderwetse loop van het pistool. 'Hij was niet half zo weerbarstig als jij als we hem vragen stelden, en wat hij ons geleerd heeft, is in deze oorlog goed van pas gekomen. Maar toen is hij ontsnapt. Ik heb maanden naar hem gezocht zonder ooit een spoor van hem te ontdekken. En nu heb ik zomaar zijn zonen gevonden.'

Hij wendde zich tot de bewakers.

'Laat hem leven tot ik terug ben van de trouwerij,' zei hij. 'Ik heb nog een heleboel vragen voor hem.'

'En het meisje?' De bewaker die naar Clara wees had een huid van maansteen.

'Laat haar leven,' antwoordde Hentzau. 'En dat vossenmeisje ook. Die twee krijgen hem vast nog sneller aan de praat dan de schorpioenen.'

Hentzaus voetstappen stierven weg op de gang. Door het tralieraam drong het lawaai van de ondergrondse stad tot hem door. Maar Jacob was ver weg, in de kamer van zijn vader. Hij voelde met zijn kindervingers aan de lijst van de spiegel.

HOOFDSTUK 40

De kracht van dwergen

Jacob hoorde Clara in het donker ademen – en huilen. Ze werden nog steeds door tralies gescheiden, maar de gedachte aan Will stond meer tussen hen in dan de ijzeren staven. In Jacobs hoofd versmolten de kussen die Clara hem gegeven had met de kus die zijn broer wakker had gemaakt. En telkens opnieuw zag hij hoe Will zijn ogen opendeed en verdronk in jade.

Hij stikte bijna in zijn eigen wanhoop. Had Miranda hem in haar dromen gadegeslagen? Had ze gezien hoe jammerlijk hij faalde? Clara legde haar hoofd tegen de koude celmuur, en Jacob verlangde ernaar om haar in zijn armen te nemen en haar tranen te drogen. *Het betekent niets, Jacob. Het komt gewoon door het leeuwerikwater.*

Achter het tralieraam schemerde het hangende paleis als een verboden vrucht. Waarschijnlijk was Will nu daar. En waar hadden ze Vos naartoe gebracht? Als zij tenminste maar was ontkomen.

Clara tilde haar hoofd op. Vanbuiten kwam een dof schrapen, alsof iemand tegen de muur omhoogklauterde. Voor de tralies van haar celraam verscheen een bebaard gezicht: Valiant.

Zijn baard tierde weer bijna net zo welig als in de tijd dat hij hem vol trots gedragen had. Met zijn korte vingertjes boog hij de ijzeren staven moeiteloos uit elkaar.

'Gelukkig voor jullie sluiten de goyl zelden dwergen op,' fluisterde hij terwijl hij zich tussen de tralies door wurmde. 'De keizerin laat altijd zilver in de tralies verwerken.'

Behendig als een wezel liet hij zich op de grond glijden, waarna hij een buiging maakte voor Clara.

'Wat zit je nou te kijken?' zei hij tegen Jacob. 'Het was zo'n grappig gezicht toen die slangen je grepen. Onbetaalbaar gewoon.'

'Ik denk anders dat de goyl je er heel goed voor betaald hebben!' Jacob stond op en keek vlug de gang in, maar er was geen bewaker te bekennen. 'Waar heb je me precies verkocht? Bij die edelsmid, toen ik uren buiten heb staan wachten? Of bij de kleermaker die aan het paleis levert?'

Valiant schudde zijn hoofd en maakte Clara's handboeien los, met net zoveel gemak als hij zojuist de tralies verbogen had. 'Moet je hem horen!' fluisterde hij. 'Kan nooit eens iemand vertrouwen. Ik zei nog zó tegen hem dat het een stompzinnig idee was om als een kakkerlak het koninklijk paleis in te kruipen. Maar luisteren ho maar.'

De dwerg boog de tralies tussen de cellen uit elkaar en bleef voor Jacob staan. 'Het is zeker ook mijn schuld dat ze de meisjes gevonden hebben? Het was niet míjn idee om hen alleen in de wildernis achter te laten. En het was beslist niet Evenaugh Valiant die de goyl aan hun neus hing waar ze zaten.'

Hij boog zich met een veelzeggende grijns dichter naar Jacob toe. 'Ze hebben de schorpioenen op je losgelaten, hè? Ik moet toegeven, dat had ik wel eens willen zien.'

Uit een van de andere cellen kwamen stemmen. Clara drukte zich plat tegen de muur onder het raam, maar de gang bleef leeg.

'Ik heb je broer gezien,' fluisterde Valiant, terwijl hij Jacobs handboeien uit elkaar boog. 'Als je hem tenminste nog zo wilt noemen. Van top tot teen een goyl, en hij loopt als een hondje achter de fee aan. Ze heeft hem meegenomen naar de trouwerij van haar liefste. De helft van de koninklijke garde is mee. Alleen daarom durfde ik hier naar binnen te klimmen.'

Clara stond roerloos naar de zandstenen bank te kijken waarop Will had liggen slapen.

'Maak je geen zorgen,' zei Valiant zacht. Hij hielp haar omhoog naar het raam alsof ze niet meer woog dan een kind. 'Buiten hangt een touw dat bijna helemaal vanzelf klimt, en in deze muren zitten gelukkig geen slangen.'

'Hoe zit het met Vos?' vroeg Jacob.

Valiant wees naar het plafond. 'Die zit pal boven ons.'

De gevel van de gevangenis had de grillige vormen van druipsteen en bood ruimschoots houvast, maar Clara klom bevend uit het raam. Ze klampte zich vast aan de rand, terwijl ze met haar voeten steun zocht op het gesteente. Intussen greep Valiant zich aan de muur vast alsof hij er geboren was.

'Rustig aan,' zei hij, en hij pakte Clara bij een arm. 'En gewoon niet naar beneden kijken.'

De dwerg had zich neergelaten van een brug die niet veel meer was dan een ijzeren voetpad. Het rapunzeltouw stond strakgespannen tussen de gevangenismuur en de ijzeren liggers. Het was tien steile meters omhoog naar de brug.

Jacob legde Clara's handen om het touw. 'Valiant heeft gelijk,' zei hij. 'Alleen naar boven kijken. En blijf onder de brug tot we met Vos achter je aan komen.'

Het gouden touw hing als de draad van een spin in de reusachtige grot. Clara klom tergend langzaam. Jacob volgde haar met zijn ogen tot ze de brug bereikt had en zich aan een stalen balk vastklampte.

Dwergen en goyl stonden bekend om hun klimkunst, maar Jacob voelde zich niet eens prettig op een berghelling, laat staan hangend aan de schuin aflopende gevel van een gebouw dat honderden meters boven een vijandige stad hing. Maar gelukkig was het niet ver. Valiant had gelijk. Ze hadden Vos precies boven hem en Clara opgesloten.

Ze was in mensengedaante. Toen Jacob naast haar knielde, sloeg ze haar armen om zijn nek en begon als een kind te huilen. Valiant maakte haar boeien los.

'Ze zeiden dat ze me zouden villen als ik van gedaante verwisselde!' snikte ze.

'Stil maar,' fluisterde Jacob. Hij streelde haar rode haar. 'Alles komt goed.'

Echt, Jacob? Hoe dan?

Natuurlijk zag Vos de wanhoop in zijn ogen.

'Je hebt Will niet gevonden,' zei ze zacht.

'Jawel. Maar hij is weg.'

Op de gang viel een deur dicht. Valiant spande zijn geweer, maar de bewakers sleurden een andere gevangene de gang op.

Vos kon net zo goed klimmen als de dwerg. Clara slaakte een zucht van opluchting toen zij en Jacob zich naast haar op de ijzeren balk hesen. Valiant klom al over de brugleuning, en Jacob liet het rapunzeltouw tussen zijn handen heen en weer rollen tot het weer in een gouden haar veranderde. Het duurde een eeuwigheid voor de dwerg hen wenkte. Onder hen marcheerde een troep goyl over een andere brug; een goederentrein pufte op zijn weg over de afgrond heen smerige rook de grot in. Twee schachten in het dak, waardoor een zweem daglicht naar binnen viel, bewezen dat de goyl een methode gevonden hadden om hun gassen en dampen af te voeren. *Dat zal je vader hun ook wel geleerd hebben*, dacht Jacob, terwijl hij achter Valiant aan over de ijzeren planken van de brug liep. Maar hij verdrong de gedachte. Hij wilde niet aan zijn vader denken. Hij wilde niet eens aan Will denken. Hij wilde terug naar het eiland en weer vergeten, alles vergeten, het jade, het leeuwerikwater en de ijzeren bruggen die eruitzagen alsof John Reckless zijn stempel op deze wereld gedrukt had.

'En paarden?' vroeg Jacob aan de dwerg, toen ze zich verscholen in een van de galerijen die langs de rotswand liepen.

'Vergeet het maar,' bromde Valiant. 'De stallen liggen te dicht bij de hoofdingang. Te veel wachtposten.'

'Wil je dan te voet door de bergen?'

'Heb jij soms een beter plan?' siste de dwerg.

Nee, dat had hij niet. En als ze nu langs de blinde wachters kwamen, hadden ze alleen Valiants geweer en het mes dat hij voor Jacob meegebracht had – overigens niet zonder er een gouden daalder voor te eisen.

Naast hem kreeg Vos haar vacht terug. Clara leunde tegen een zuil en keek in de diepte alsof ze er niet helemaal bij was. Misschien was ze weer achter de spiegel en zat ze met Will in de kale koffiecorner van het ziekenhuis. Het was een lange weg terug, en elke mijl zou haar eraan herinneren dat Will er niet meer bij was.

Ramen en deuren achter gordijnen van zandsteen. Huizen als zwaluwnesten. Overal ogen van goud. Om zomin mogelijk op te vallen nam Valiant eerst Clara mee, terwijl Jacob en Vos zich tussen de huizen schuilhielden. Daarna kwam de dwerg hen halen en verstopte Clara zich in een donker hoekje. Omlaag waren de steile straten en trappen voor mensen nog moeilijker begaanbaar dan omhoog. Valiant had de letter op Jacobs voorhoofd nog een keer overgetrokken en liep zelfingenomen naast Clara, alsof hij zijn kersverse echtgenote aan de goyl voorstelde. Net als op de heenweg kwamen ze veel soldaten tegen, en elke keer verwachtte Jacob een strenge uitroep of een stenen hand op zijn schouder. Maar niemand hield hen aan. Na een paar eindeloze uren kwamen ze eindelijk bij de opening waardoor ze de grot voor het eerst hadden zien liggen. Maar in de tunnel daarachter liet het geluk hen in de steek.

Hun vermoeidheid maakte hen onvoorzichtig. Ze bleven inmiddels bij elkaar; Jacob ondersteunde Clara, al ontgingen de blikken die Vos hem toewierp hem niet. De eerste goyl die ze zagen kwamen net terug van de jacht. Ze waren met zijn zessen en hadden een meute tamme wolven bij zich, die hen zelfs in de diepste grotten volgden. Twee knechten voerden de paarden met de buit aan de teugels: drie grote hagedissen, met de stekels die goylcavaleristen op hun helmen droegen, en zes vleermuizen, waarvan de hersens een delicatesse schenen te zijn. Ze wierpen Jacob in het voorbijgaan alleen een vluchtige blik toe. Maar de patrouille die plotseling uit een van de zijtunnels opdook was nieuwsgieriger. Het waren drie soldaten. Een van hen was een albastgoyl – de kleur die veel van hun spionnen hadden.

Zodra Valiant de naam noemde van de handelaar die zogenaamd Jacobs eigenaar was, wisselden de drie een snelle blik. De albastgoyl deelde Valiant op effen toon mee dat zijn zakenpartner gearresteerd was wegens illegale mineralenhandel en trok zijn pistool, maar de dwerg was sneller. Hij schoot de albastgoyl van zijn paard en Jacob wierp zijn mes in de borst van de tweede. Valiant had het in een van de winkels op de paleisbrug gekocht, en het lemmet ging moeiteloos door de citrienhuid heen. Jacob rilde toen hij besefte hoe graag hij ze allemaal zou vermoorden. Vos sprong tussen de benen van het paard van de derde, maar de goyl kreeg het dier onder controle en galoppeerde weg voor Jacob het wapen van een van de doden kon pakken. Valiant slaakte een vloek die zelfs Jacob nog nooit gehoord had.

Terwijl het hoefgetrappel van het galopperende paard in het donker wegstierf, hoorden ze een geluid dat de dwerg op slag de mond snoerde. Het klonk alsof er duizenden mechanische krekels tegelijk begonnen te tjirpen, en om hen heen kwamen de rotswanden tot leven. Duizendpoten, spinnen, kakkerlakken en kevers kropen uit spleten en gaten. Motten, muggen, langpoten en libellen vlogen in hun gezicht. Ze kropen in hun haren en onder hun kleren. Het alarmsignaal van de goyl had de aarde wakker geschud en de rots ademde leven uit – kruipend, fladderend en bijtend.

Bijna blind strompelden ze verder. Ze sloegen om zich heen en trapten plat wat op hun pad kwam. Niemand wist nog waar ze vandaan gekomen waren of welke kant ze op moesten voor de uitgang. De wanden tjirpten en het licht van de zaklamp was een tastende vinger in het donker. Jacob dacht in de verte hoeven en stemmen te horen. Ze zaten in de val, een eindeloos vertakte val, en de angst vaagde de wanhoop die hij in zijn cel nog gevoeld had weg en wekte in hem weer de wil om te leven. Gewoon leven, verder niets. Terug naar het licht. Lucht inademen.

Vos blafte en Jacob zag haar een zijgang in schieten. Een vlaagje wind streek langs zijn gezicht. Hij begon Clara mee te trekken. Licht viel op een brede trap, en daar waren ze: de draken waar de veerman over verteld had. Maar ze waren van metaal en hout: de volwassen broers van de stoffige modellen die boven het bureau van John Reckless hingen.

HOOFDSTUK 41

Vleugels

In de vliegtuiggrot was het alarm nog steeds te horen, maar er kroop niets uit de muren, die rechtgemaakt en afgedicht waren. Door een brede tunnel viel het flauwste beetje daglicht. Tussen de vliegtuigen stonden maar twee onbewapende goyl. Het waren technici, geen soldaten, en ze staken hun handen in de lucht zodra Valiant zijn geweer hief.

De doodsangst stond op hun gezicht geschreven, net als de woede waar de goyl berucht om waren. Jacob bond hen vast met kabels die Clara tussen de vliegtuigen gevonden had. Een van de twee rukte zich los en haalde uit met zijn klauwen, maar toen Valiant zijn geweer op hem richtte liet hij ze meteen weer zakken. Jacob dacht aan de klauwen die Wills hals hadden opengereten. Hij had nooit plezier beleefd aan doden, maar de wanhoop die hij voelde sinds Will met de Zwarte Fee was meegegaan, maakte hem bang voor zijn eigen handen.

'Nee,' fluisterde Clara. Ze pakte hem het mes af, en even verbond de duisternis in hem, die zij maar al te goed begreep, hen meer dan het leeuwerikwater.

Valiant was de goyl inmiddels helemaal vergeten. De dwerg leek niets meer te zien of te horen – niet het tjirpen in de muren en ook niet de stemmen die steeds luider door de tunnel schalden. Hij had alleen oog voor de drie vliegtuigen.

'O, wat is dit mooi!' mompelde hij. Hij streelde verrukt een rode romp. 'Veel mooier dan zo'n stinkende draak. Maar hoe vliegen ze, en wat zijn de goyl ermee van plan?'

'Ze spuwen vuur,' zei Jacob. 'Zoals alle draken.'

Het waren dubbeldekkers, zoals ze aan het begin van de twintigste eeuw in Europa gebouwd werden. Voor de Spiegelwereld een reusachtige sprong in de toekomst, belangrijker dan alles wat in de fabrieken van Schwanstein of door de uitvinders van de keizerin ontwikkeld werd. Twee van de machines leken op de eenzitters waarmee gevechtspiloten in de Eerste Wereldoorlog vlogen, maar de derde leek op de Junkers J4, een tweezitter die ontworpen was als bommenwerper en verkenningsvliegtuig. Jacob had samen met zijn vader een model van de Junkers gebouwd.

Jacob klom in de krappe cockpit, terwijl Vos hem nauwlettend in het oog hield.

'Kom naar beneden!' riep ze. 'Laten we de tunnel proberen. Die gaat naar buiten. Ik ruik het!'

Maar Jacob voelde aan de hendels en keek op de meters. De Junkers was redelijk makkelijk te vliegen; alleen op de grond was hij log en moeilijk te besturen. *Dat weet je uit een boek, Jacob, en omdat je vroeger met modelvliegtuigjes speelde. Je gelooft toch niet echt dat je er zelf mee kunt vliegen?* Hij had een paar keer met zijn vader gevlogen, toen John Reckless nog in sportvliegtuigjes uit de andere wereld ontsnapte, in plaats van door de spiegel. Maar dat was zo lang geleden dat het even onwerkelijk leek als het feit dat hij een vader had.

Het alarm tjirpte schel door de grot, alsof er een heel grasveld vol krekels werd opgeschrikt.

Jacob pompte de benzinedruk op. Waar zat de startknop?

Valiant stond stomverbaasd naar hem te kijken. 'Wacht! Kun jij vliegen met dit ding?'

'Ja hoor!' Jacob geloofde het bijna zelf, zo vanzelfsprekend rolde het antwoord over zijn lippen.

'Allemachtig, hoe dan?'

Vos begon waarschuwend te blaffen.

De stemmen zwollen aan. Ze kwamen steeds dichterbij.

Clara tilde Valiant vlug op een van de vleugels. 'Vos!'

Vos deinsde achteruit, maar Clara nam haar resoluut onder haar arm en klom in de cockpit.

Jacobs vingers vonden de startknop.

De motor sprong aan. De propeller begon te draaien, en terwijl Jacob nog een keer alle hendels en meters naliep, was het alsof hij de handen van zijn vader precies hetzelfde zag doen. In een andere wereld. Een ander leven. '*Moet je zien, Jacob! Een aluminium romp op een metalen skelet. Alleen het roer is nog van hout.*' John Reckless had nergens zo hartstochtelijk over gesproken als over oude vliegtuigen. En oude handvuurwapens.

Vos sprong naar voren en dook sidderend in elkaar tussen zijn benen.

Machines. Lawaaiig metaal. Mechanische beweging. Kunstmatige magie voor wie vleugels noch vacht had.

Jacob reed het vliegtuig naar de tunnel. Ja, op de grond was het een log ding. Hij kon alleen maar hopen dat het in de lucht beter ging.

Op het moment dat de machine de tunnel in rolde, galmden er schoten door de grot. Het gebulder van de motor kaatste van de rotswanden. Olie spetterde in Jacobs gezicht en een van de vleugels raakte bijna de muur. *Schiet op, Jacob.* Hij gaf gas, al werd het daardoor alleen maar moeilijker om de tunnelwanden te ontwijken, en haalde opgelucht adem toen de plompe machine een met grind bedekte startbaan op schoot, waarboven een bleek zonnetje tussen dikke regenwolken door scheen. Het lawaai van de motor verscheurde de stilte. Uit de bomen rondom vloog een zwerm roeken op, maar gelukkig kwamen de vogels niet in de propeller terecht.

Optrekken, Jacob. Vos heeft haar vacht, je broer heeft een huid van steen en jij hebt nu metalen vleugels.

Magische machines.

John Reckless had metalen draken naar de wereld achter de spiegel gebracht. En net als toen hij dat velletje papier in het boek van zijn vader vond, kon Jacob zich ook nu niet losmaken van de gedachte dat John Reckless iets voor zijn oudste zoon had achtergelaten.

Het vliegtuig steeg hoger en hoger. In de diepte zagen Clara, Valiant en Jacob wegen en spoorbanen die door enorme poorten in de berg verdwenen. Nog maar een paar jaar geleden was de ingang van de goylvesting niet meer geweest dan een natuurlijke spleet aan de voet van de berg. Inmiddels waren de poorten versierd met jaden hagedissen, en in de bergflank was het wapen van de koning verwerkt – het wapen dat Kami'en pas een jaar geleden tot het zijne had verklaard: het silhouet van een zwarte mot op een veld van carneool.

De zon tekende de omtrek van het vliegtuig op de berg toen Jacob erlangs vloog.

Hij had de draak van de koning van de goyl gestolen. Maar zelfs daarmee kreeg hij zijn broer niet terug.

HOOFDSTUK 42

Twee wegen

Terug. Over de rivier, waar ze bijna door lorelei opgegeten waren; over de bergen, waar Jacob gestorven was; en over het geplunderde land, waar de prinses tussen de rozen lag te slapen en Will de goyl voor het eerst als een van hen had aangekeken... In een paar uur overbrugde de Junkers de afstand waar ze op de heenweg ruim een week voor nodig hadden gehad. Toch kwam de terugweg Jacob minstens zo lang voor, want elke mijl maakte het verlies van zijn broer onherroepelijker.

'*Waar is Will, Jacob?*' Als kind was hij Will meer dan eens kwijtgeraakt. Bij het boodschappen doen of in het park, omdat hij het gênant vond om het handje van zijn broertje vast te houden. Will was weg zodra je hem losliet. Achter een eekhoorntje aan, een zwerfhond, een kraai... Op een keer had Jacob uren naar hem gezocht, tot hij Will met een behuild gezicht voor de deur van een winkel zag staan. Maar nu kon hij nergens meer zoeken, kon hij geen weg terug volgen om zijn fout, dat ene moment van onoplettendheid, ongedaan te maken.

Hij volgde een spoorlijn naar het oosten, in de hoop dat die naar Schwanstein leidde. Het was bitterkoud in het open vliegtuigje, al vloog hij niet eens zo hoog. Af en toe kwam de wind verraderlijk onder de aluminium vleugels, waardoor Jacob zijn zelfverwijt vergat en alleen nog maar met de slingerende machine worstelde. Achter hem begon te dwerg te vloeken zodra het vliegtuig ook maar een beetje hoogte verloor, hoewel hij er vast ook van genoot dat hij met Clara op het smalle bankje zat. Vos liet steeds vaker een klaaglijk gejank horen. Alleen Clara gaf geen kik, alsof ze alle gebeurtenissen van de afgelopen dagen door de wind liet wegblazen.

Vliegen.

Het was alsof de twee werelden met elkaar versmolten waren. Alsof de spiegel niet meer bestond. Als draken in machines veranderden, wat zou er dan allemaal nog meer volgen?

Zulke gedachten waren niet goed als je achter de stuurknuppel van een dubbeldekker zat, en al helemaal niet als je het voor het eerst deed. De rookpluim van een locomotief benam Jacob het zicht. Hij trok de Junkers te snel op en het vliegtuigje dook op de aarde af alsof het zich opeens herinnerde dat het eigenlijk in een andere wereld thuishoorde. Vos kroop jammerend weg en Valiants gevloek overstemde zelfs het geluid van de sputterende motor.

Natuurlijk. Hoe kon je ook denken dat iets wat jouw vader gemaakt heeft betrouwbaar zou zijn, Jacob?

Hij voelde dat Clara haar nagels in zijn schouders zette. Wat zou zijn laatste gedachte zijn? De herinnering aan Wills jadegezicht of de dode leeuweriken?

Hij zou er niet achter komen.

Een windvlaag ving het krakende toestel op en Jacob wist het recht te trekken voor ze de eerste boomtoppen raakten. Het vliegtuigje slingerde als een aangeschoten vogel, maar hij slaagde erin de wielen op een kale heuvel neer te zetten. Bij de landing brak het roer. Een van de vleugels sloeg te pletter tegen een boom, en toen ze over de stenige grond hobbelden scheurde de romp, maar uiteindelijk kwam het toestel tot stilstand. De motor sloeg met een laatste reutel af – ze leefden nog.

Valiant klom kermend op de vleugel en gaf over onder een boom. De dwerg had een bloedneus opgelopen en Clara was door een tak gewond geraakt aan haar hand, maar verder waren ze ongedeerd. Vos was zo blij om weer vaste grond onder haar pootjes te hebben dat ze achter het eerste het beste konijn aan ging dat zijn kopje boven het gras uitstak.

Ze waren inderdaad niet ver van Schwanstein. Vos keek Jacob opgelucht aan toen ze links van hen de heuvel met de ruine ontdekte. Maar Jacob tuurde naar de spoorlijn die onder aan de heuvel als een ijzeren litteken naar het zuiden liep, niet alleen naar Schwanstein, maar nog verder, een heel eind verder. Vena. De hoofdstad van de keizerin. Jacob zag de vijf bruggen al voor zich, het paleis, de torens van de kathedraal...

'Reckless! Hoor je eigenlijk wel wat ik zeg?' Valiant veegde met zijn mouw het bloed van zijn neus. 'Hoe ver is het nog?'

'Wat?' Jacob wendde zijn blik niet van de spoorlijn af.

'Naar je huis. Mijn goudboom!'

Jacob gaf geen antwoord. Hij keek naar het oosten, waar de trein die hen had laten neerstorten opdook tussen de heuvels. Witte rook en zwart ijzer.

'Vos.' Hij knielde naast haar. Haar vacht stond rechtovereind door de wind. 'Ik wil dat je Clara terugbrengt naar de ruïne. Ik kom over een paar dagen achter jullie aan.'

Vos vroeg niet waar hij naartoe wilde. Ze keek hem aan alsof ze dat allang wist. Zo was het altijd geweest. Ze kende hem beter dan hij zichzelf kende. Maar misschien had ze er genoeg van om zich zorgen om hem te maken. En haar boosheid was terug. Ze had hem dat leeuwerikwater nog niet vergeven, en ook niet dat hij zonder haar de vesting binnen was gegaan. En nu liet hij haar alweer achter. *Geef het nou toch eens op!* zeiden haar ogen.

Hoe dan, Vos?

Jacob kwam overeind.

De trein kwam dichterbij en trok de velden en weilanden onder zich door. Vos keek ernaar alsof de dood zelf erin meereed.

Tien uur naar Vena. En dan, Jacob? Hij wist niet eens wanneer de trouwerij precies plaatsvond. Maar hij wilde niet denken. Zijn gedachten waren van jade.

Hij holde de heuvel af. Valiant riep hem verontwaardigd iets na, maar Jacob keek niet om. De rook en het lawaai van de trein hingen al in de lucht. Hij begon harder te rennen, klampte zich vast aan ijzer, vond houvast op een treeplank.

Tien uur. Tijd om te slapen en alles te vergeten. Behalve wat de Rode Fee over haar zwarte zuster verteld had.

HOOFDSTUK 43

Hond en wolf

Trams, koetsen, karren, ruiters. Fabrieksarbeiders, bedelaars en burgers. Dienstmeiden met gesteven schorten, soldaten en dwergen die zich door hun menselijke knechten door het gedrang lieten dragen. Jacob had de straten van Vena nog nooit zo vol gezien. Hij deed er bijna een uur over om van het station bij het hotel te komen waar hij altijd logeerde als hij in Vena was. De kamers hadden meer gemeen met de schatkamers van blauwbaarden dan met de kale kamertjes in Chanutes herberg, maar Jacob vond het fijn om af en toe in een hemelbed te slapen. Bovendien betaalde hij een van de kamermeisjes om altijd een stel schone kleren voor hem klaar te leggen, die ook goed genoeg moesten zijn voor een audientie in het paleis. Met een uitgestreken gezicht nam ze zijn vuile en bebloede kleren aan. Zulke vlekken was ze van hem wel gewend.

De klokken van de stad sloegen twaalf uur toen Jacob op weg ging naar het paleis. Op veel huismuren waren anti-goyl-leuzen over de posters met de staatsiefoto van het bruidspaar gekalkt. Ze wedijverden met de hoogdravende kreten van de krantenverkopers op de straathoeken: *Eeuwige vrede... historische gebeurtenis... twee machtige rijken... onze volken...* Dezelfde voorliefde voor grote woorden, aan beide zijden van de spiegel.

Een jaar geleden had Jacob zelf model gestaan voor de hoffotograaf die het bruidspaar vereeuwigd had. De man verstond zijn vak, maar de prinses maakte het hem niet gemakkelijk. De schoonheid van Amalie van Austrië was koud als porselein, en in het echte leven was haar gezicht net zo uitdrukkingsloos als op de posters. Haar bruidegom daarentegen zag er zelfs op foto's uit als steen geworden vuur.

Voor het paleis stond zo'n enorme menigte dat Jacob moeite had om bij de smeedijzeren hekken te komen. Zodra hij ervoor bleef staan, richtten de gardisten hun bajonetten op hem, maar gelukkig ontdekte hij onder een van de vederhelmen een gezicht dat hij kende. Justus Kronsberg, jongste zoon van een edelman. Zijn familie dankte haar rijkdom aan de grote zwermen elfen op de landerijen van zijn vader, die het glas en het garen leverden waarmee aan het hof zoveel kleren versierd werden.

De keizerin nam voor de garde alleen soldaten aan die minstens twee meter lang waren, en de jongste Kronsberg was geen uitzondering. Justus Kronsberg was een halve kop groter dan Jacob, de helm niet meegerekend, maar zijn vlassige snorretje kon niet verhullen dat hij nog steeds het gezicht van een kind had.

Jaren geleden had Jacob een van Justus' broers beschermd tegen een heks, die kwaad op hem was omdat hij haar dochter had afgewezen. Sindsdien stuurde de dankbare vader Jacob elk jaar zoveel elfenglas dat hij voor al zijn kleren knopen kon laten maken. Dat het glas ook tegen stilten en duimelijnen beschermde was helaas een sprookje gebleken.

'Jacob Reckless!' De jongste Kronsberg sprak het zachte dialect van de dorpen rond de hoofdstad. 'Ik hoorde gisteren nog van iemand dat de goyl je gedood hadden!'

'Is dat zo?'

Jacob legde onwillekeurig een hand op zijn borst. De afdruk van de mot zat er nog.

'Waar hebben ze de bruidegom ondergebracht?' vroeg hij, toen Kronsberg de poort voor hem openmaakte. 'In de noordvleugel?'

De andere soldaten bekeken hem wantrouwig.

'Waar anders?' Kronsberg liet zijn stem dalen. 'Ben je net terug van een opdracht? Ik hoorde dat de keizerin dertig gouden daalders uitlooft voor een wenszak, sinds de Kromme Prins loopt op te scheppen dat hij er een heeft.'

Een wenszak. Chanute had er een. Jacob was erbij toen hij hem een stilt afhandig maakte. Maar zelfs Chanute was niet gewetenloos genoeg om zo'n ding aan een keizerin te geven. Je hoefde de naam van je vijand maar te noemen en de zak liet hem spoorloos verdwijnen. Het scheen dat de Kromme Prins zich op die manier al van honderden tegenstanders had ontdaan.

Jacob keek naar het balkon waarop de keizerin het bruidspaar de volgende dag aan haar onderdanen zou presenteren. 'Nee, ik kom niet voor een wenszak,' zei hij. 'Ik heb een geschenk voor de bruid. Doe je broer en je vader de groeten van me.'

Kronsberg was zichtbaar teleurgesteld dat hij niet meer te weten was gekomen. Toch deed hij de poort naar het eerste binnenhof open. Het was immers aan Jacob te danken dat zijn broer nu geen kikker was op de bodem van een put, of, iets waar veel heksen tegenwoordig de voorkeur aan gaven, een deurmat of een dienblad voor theekopjes.

Jacob was drie maanden geleden voor het laatst in het paleis geweest. In de wonderkamers van de keizerin had hij een tovernoot op echtheid gecontroleerd. Na wat hij in de goylvesting had gezien, maakten de brede binnenhoven een bijna bescheiden indruk, en ondanks de kristallen balkons en de gouden daken waren de gebouwen eromheen sober in vergelijking met het hangende paleis. Maar het interieur was nog steeds van een indrukwekkende pracht.

Vooral in de noordvleugel hadden de keizers van Austrië kosten noch moeite gespaard. Die was dan ook speciaal gebouwd om hun gasten te imponeren met de rijkdom en macht van het keizerrijk. Rond de zuilen in de grote hal slingerden gouden ranken van vruchten en bladeren. De vloer was van wit marmer – ook van mozaïek hadden de goyl meer verstand dan hun vijanden – en de muren waren beschilderd met de bezienswaardigheden van Austrië: de hoogste bergen, de oudste steden, de mooiste kastelen. De ruïne met de spiegel was nog in oude luister afgebeeld, met Schwanstein als een sprookjesachtige idylle aan haar voeten. Er liepen geen wegen of spoorlijnen door de heuvels. In plaats daarvan werden ze bewoond door de wezens waar de voorvaderen van de keizerin zo hartstochtelijk op gejaagd hadden: reuzen en heksen, watergeesten en lorelei, eenhoorns en menseneters.

Boven de trappen hingen minder vredige taferelen. De vader van de keizerin had ze laten maken: schilderijen van zee- en veldslagen, zomer- en winterveldtochten, veldtochten tegen zijn broer in Lotharingen, zijn neef in Albion, opstandige dwergen en de wolvenvorsten in het oosten. Waar hij ook vandaan kwam, elke gast vond wel een schilderij waarop zijn vaderland in oorlog was met het keizerrijk. En natuurlijk waren de anderen altijd de verliezers. Alleen de goyl waren de trappen op gelopen zonder hun voorvaderen op een slagveld ten onder te zien gaan, want sinds zij in oorlog waren met de mensen hadden ze altijd nog gewonnen.

Hoewel hij gewapend was, hielden de twee soldaten die Jacob op de trap passeerde hem niet aan. De lakei die achter hen aan gerend kwam knikte hem eerbiedig toe. In de noordvleugel wist iedereen wie Jacob Reckless was. Therese van Austrië liet hem namelijk vaak komen om belangrijke gasten rond te leiden in haar wonderkamers en hun ware en onware verhalen te vertellen over de tentoongestelde schatten.

De goyl waren ondergebracht op de tweede en mooiste verdieping. Jacob zag hun schildwachten staan zodra hij de gang in keek. Ze keken ook zijn kant op, maar Jacob deed alsof hij hen niet zag en liep de zaal naast de trap in, waar de keizerin met de reissouvenirs van haar voorvaderen pronkte met haar belangstelling voor de rest van de wereld.

De zaal was verlaten, iets wat Jacob al gehoopt had. De goyl waren niet geïnteresseerd in de trollenbontmuts die de overgrootvader van de keizerin uit Jetland had meegebracht, of de kabouterlaarsjes uit Albion – en wat er over hen ook in al die boeken stond die hier de muren bedekten, vleiend zou het vast niet zijn.

De noordvleugel was ver van de vertrekken van de keizerin, wat maakte dat haar gasten zich onbespied waanden. Maar achter de muren lag een netwerk van geheime gangen, van waaruit alle kamers in de gaten gehouden konden worden, en soms zelfs bereikbaar waren. Op die manier had Jacob de dochter van een ambassadeur een paar keer 's nachts bezocht. De gangen waren bereikbaar via verborgen deuren, en een daarvan zat achter een wandkleed uit Lotharingen. Het wandkleed was bezet met parels, gevonden in de magen van duimelijnen, en de deur erachter zag eruit als deel van de lambrisering.

In de gang struikelde Jacob over het kadaver van een rat. De keizerin liet ze om de zoveel tijd vergiftigen, maar de knaagdieren bleven dol op de geheime gangen. Om de drie meter zat er een kijkgat ter grootte van een duimnagel in de muur, die aan de andere kant door decoratief stucwerk of een doorkijkspiegel aan het oog was onttrokken. In de eerste kamer was een kamermeisje de meubels aan het afstoffen. In de tweede en de derde hadden de goyl een provisorisch kantoor ingericht, en Jacob hield onwillekeurig zijn adem in toen hij Hentzau achter een van de schrijftafels zag zitten. Maar hij kwam niet voor Hentzau.

Het was benauwd in de donkere gangetjes, en het ruimtegebrek joeg zijn hartslag op. Door de dunne muurtjes hoorde hij een kamenier zingen en serviesgoed rinkelen, maar toen hij vlakbij iemand hoorde hoesten deed Jacob snel zijn zaklamp uit. Natuurlijk. Therese van Austrië liet al haar gasten afluisteren. Waarom zou het bij haar grootste vijand anders zijn, ook al gaf ze die vijand haar dochter tot vrouw?

Verderop, om een hoek, verscheen een gaslamp. In het schijnsel zag hij een man die zo bleek was alsof hij zijn hele leven al in de donkere gangetjes woonde. Jacob stond met ingehouden adem in het donker, tot de spion langsgeschuifeld was en door de verborgen deur verdween. Als hij aflossing ging halen, was er niet veel tijd meer.

De spion had bij de kamer gestaan die Jacob zocht. Hij herkende de stem van de Zwarte Fee nog voordat hij door het gaatje keek. De kamer werd door slechts een paar kaarsen verlicht. De gordijnen zaten dicht, maar onder het lichtgele brokaat was nog een reepje zonlicht, en de fee stond voor het verduisterde raam alsof ze haar geliefde tegen het licht wilde beschermen. Zelfs in de schemerige kamer lichtte haar huid op als vleesgeworden maanlicht. *Niet naar haar kijken, Jacob.*

De koning van de goyl stond bij de deur. Vuur in het donker. Jacob voelde zijn ongeduld bijna door de muur heen.

'Je wilt dat ik in sprookjes geloof.'

De woorden vulden de hele kamer. Zijn stem verraadde zijn kracht – en zijn vermogen die kracht in toom te houden. 'Ik geef toe, het is best grappig dat al die lui die willen dat we weer onder de grond kruipen erin geloven. Maar verwacht niet dat ik zo naïef ben. Geen man kan mij alleen met de kleur van zijn huid bezorgen wat het beste leger niet voor elkaar krijgt. Ik ben niet onoverwinnelijk en daar helpt geen jadegoyl aan. Zelfs deze bruiloft zal maar even voor vrede zorgen.'

De fee wilde iets terugzeggen, maar hij gaf haar de kans niet.

'Er zijn opstanden in het noorden, en in het oosten hebben we alleen rust omdat ze daar liever elkaar de hersens inslaan. In het westen neemt de Kromme Prins mijn smeergeld aan, en intussen bewapent hij zich achter mijn rug. En dan heb ik het nog niet eens over zijn neef op het eiland. De onyxgoyl hebben iets tegen mijn huidskleur. Mijn munitiefabrieken kunnen niet zo snel produceren als mijn soldaten schieten. De lazaretten zijn overvol en de partizanen hebben twee van mijn belangrijkste spoorlijnen opgeblazen. Voor zover ik me herinner was er in de sprookjes die mijn moeder me vertelde van al die dingen geen sprake. Laat het volk rustig in jadegoyl en geluksstenen geloven. Maar de wereld is tegenwoordig van ijzer.'

Hij legde zijn hand op de deurkruk en bekeek het goudbeslag op de deur. 'Ze maken mooie dingen,' mompelde hij. 'Ik begrijp alleen niet waarom ze zo bezeten zijn van goud. Zilver is veel mooier.'

'Beloof me dat hij naast je staat.' De fee stak haar hand uit, en al het goud in de kamer veranderde in zilver. 'Ook als je haar het jawoord geeft. Alsjeblieft!'

'Hij is een mensengoyl! Wat mijn officieren betreft verandert dat jade daar niets aan. En hij heeft veel minder ervaring dan mijn andere lijfwachten.'

'En toch heeft hij die allemaal verslagen! Beloof het.'

Hij hield van haar. Jacob zag het aan zijn gezicht. De koning hield zoveel van haar dat hij er zelf bang van werd.

'Ik moet gaan.' Hij draaide zich om en wilde de deur opendoen, maar die gehoorzaamde hem niet. 'Laat dat!' blafte hij tegen de fee.

Ze liet haar hand zakken en de deur sprong open.

'Beloof het,' zei ze nog een keer. 'Alsjeblieft!'

Haar geliefde vertrok zonder antwoord te geven. De Zwarte Fee was alleen.

Nu, Jacob!

Hij tastte naar een geheime deur, maar zijn vingers voelden alleen een houten wand. De fee liep naar de deur waardoor haar geliefde vertrokken was. *Schiet nou op, Jacob. Nu is ze nog alleen. Buiten staan wachtposten!* Misschien kon hij de wand intrappen. En dan? Er zouden zo tien goyl op het lawaai af komen. Jacob stond nog steeds besluiteloos in het smalle gangetje toen een goylsoldaat de schemerige kamer in kwam.

Jade.

Voor het eerst zag Jacob zijn broer in het grijze uniform. Will droeg het alsof hij nooit iets anders gedragen had. Niets herinnerde aan de mens die hij geweest was. Misschien waren zijn lippen wat vol voor een goyl, en zijn haren een beetje fijn, maar zelfs het lichaam van zijn broer sprak een andere taal. En hij keek de fee aan alsof ze het begin en het einde van de wereld was.

'Ik heb me laten vertellen dat je Kami'ens beste lijfwacht hebt weten te ontwapenen.' Ze aaide Wills gezicht. Het gezicht dat zij in jade had omgetoverd.

'Hij is niet half zo goed als hijzelf denkt.'

Zo kende Jacob zijn broertje niet. Will was nooit op vechten of krachtmetingen uit geweest. Zelfs niet met zijn grote broer.

Will sloot zijn hand bijna teder om het gevest van zijn sabel en de Zwarte Fee glimlachte. Hand van steen.

Hier zul je voor boeten, dacht Jacob, verdrinkend in haat en hulpeloze pijn. *En je zuster heeft de prijs bepaald.*

Hij was de spion helemaal vergeten. De man sperde geschrokken zijn ogen open toen het licht van zijn lamp Jacobs gestalte uit het donker losweekte. Jacob sloeg hem met de zaklamp tegen zijn slaap en ving het vallende lichaam op, maar een van de magere schouders schampte de muur. En de gaslamp kletterde op de grond voor Jacob hem kon vangen.

'Wat was dat?' hoorde hij de fee vragen.

Jacob doofde de lamp en hield zijn adem in.

Voetstappen.

Hij graaide naar zijn pistool, tot hij besefte wie er op de houten wand af kwam.

Will trapte door het hout heen alsof het papier-maché was, en Jacob wachtte niet tot zijn broer zich tussen de verbrijzelde planken door gewrongen had. Hij struikelde terug naar de verborgen deur, terwijl de Zwarte Fee om bewakers begon te roepen.

Blijf staan, Jacob. Maar niets had hem ooit zo bang gemaakt als die voetstappen achter hem. Will zag in het donker vast net zo goed als Vos. En hij was gewapend.

Maak dat je uit het donker komt, Jacob. Daar is hij in het voordeel. Jacob stoof door de geheime deur en trok onderweg het wandkleed naar beneden.

Will werd verblind door het plotselinge licht. Hij tilde een arm op om zijn ogen te beschermen en Jacob sloeg zijn sabel uit zijn hand.

'Laat die sabel liggen, Will!'

Jacob richtte zijn pistool op hem. Will bukte zich. Jacob probeerde de sabel weg te schoppen, maar deze keer was zijn broer sneller. *Hij zal je doden, Jacob! Schiet!* Maar hij kon het niet. Het was nog steeds hetzelfde gezicht, al was het nu van jade.

'Will, ik ben het!'

Will gaf hem een kopstoot. Het bloed stroomde uit Jacobs neus, maar hij wist de sabel van zijn broer nog net weg te slaan voor de kling zijn borst kon openrijten. Met zijn volgende uithaal sneed Will Jacobs onderarm open. Hij vocht als een goyl, zonder aarzelen, koud en precies, alle angst opgelost in razernij. *'Ik heb me laten vertellen dat je Kami'ens beste lijfwacht hebt weten te ontwapenen.' 'Hij is niet half zo goed als hij zelf denkt.'* Daar kwam hij weer. *Verdedig je, Jacob.*

Kling op kling, vlijmscherp metaal, in plaats van de speelgoedzwaarden waar ze als kind mee vochten. Zo lang geleden. Boven hun hoofd viel het zonlicht op de glasbloemen van een kroonluchter, en op het tapijt stond het patroon waarop de heksen hun lentedans uitvoerden. Will hapte naar adem. Ze hijgden allebei zo hard dat ze de soldaten van de keizerin pas opmerkten toen die hun geweren op hen richtten. Will schrok van de witte uniformen, en Jacob ging zonder erbij na te denken voor hem staan, zoals hij altijd gedaan had. Maar zijn broer had zijn hulp niet nodig. Ook de goyl hadden hen gevonden. Ze kwamen door de geheime deur. Grijze uniformen achter hen, witte voor hen. Will liet zijn sabel pas zakken toen een van de goyl hem op scherpe toon het bevel daartoe gaf.

Broers.

'Deze man probeerde de vertrekken van de koning binnen te dringen!'

Hun officier was een onyxgoyl die de taal van het keizerrijk bijna accentloos sprak. Zonder Jacob uit het oog te verliezen ging Will naast hem staan. Nog steeds hetzelfde gezicht, en toch leek hij net zomin op zijn broer als een hond op een wolf. Jacob keerde hem de rug toe. Hij kon het niet meer aanzien.

'Jacob Reckless.' Hij gaf zijn sabel aan de soldaten. 'Ik moet de keizerin spreken.'

De soldaat die zijn sabel aannam fluisterde iets tegen zijn officier. Misschien hing in een of andere gang nog zijn portret, dat de keizerin had laten maken nadat hij haar het glazen muiltje was komen brengen.

Will keek Jacob na toen de soldaten hem afvoerden.

Vergeet dat je een broer hebt, Jacob. Hij is het ook vergeten.

HOOFDSTUK 44

De keizerin

Het was lang geleden dat Jacob in de audiëntiezaal van de keizerin stond. Zelfs als hij of Chanute iets kwam afleveren waarnaar ze jaren had laten zoeken, was het meestal een van haar dwergen die de betaling afhandelde en hun een nieuwe opdracht gaf. De keizerin verleende alleen audiëntie als de opdracht bijzonder gevaarlijk was gebleken, zoals bij het glazen muiltje of het tafeltje-dek-je, en als ze er een verhaal met veel bloed en doodsangst bij konden vertellen. Als ze niet als dochter van een keizer geboren was, zou Therese van Austrië zelf ook een eersteklas schatjager zijn geweest.

Ze zat achter haar schrijftafel toen de soldaten Jacob binnenbrachten. Haar zijden japon was bezet met elfenglas en had dezelfde goudgele kleur als de rozen op haar tafel. Haar schoonheid was legendarisch, maar oorlog en nederlagen hadden hun sporen nagelaten. De rimpels in haar voorhoofd waren dieper geworden, de schaduwen onder haar ogen donkerder, haar blik was nog koeler.

Een generaal en drie ministers stonden voor de ramen, met daarachter de daken en torens van de stad, en de bergen die door de goyl veroverd waren. Naast het borstbeeld van de voorlaatste keizer stond een adjudant, die Jacob pas herkende toen hij zich omdraaide. Donnersmark. Hij had Jacob in opdracht van de keizerin op drie expedities begeleid. Twee daarvan waren succesvol geweest en hadden Jacob heel veel geld en Donnersmark een onderscheiding opgeleverd. Ze waren vrienden geworden, maar de blik die hij Jacob toewierp verried niets. Er prijkten nog meer onderscheidingen op zijn witte uniform dan bij hun laatste ontmoeting, en toen hij naast de generaal ging staan zag Jacob dat hij met zijn linkerbeen trok. Vergeleken met oorlog was de schatzoekerij onschuldig vermaak.

'Zonder toestemming het paleis binnengedrongen. Mijn gasten bedreigd. Een van mijn spionnen bewusteloos geslagen.' De keizerin legde haar pennenhouder neer en wenkte de dwerg die naast haar schrijftafel stond. Zonder Jacob uit het oog te verliezen trok hij haar stoel naar achteren. De dwergen van de Austrische keizers hadden in de loop van de eeuwen al zeker tien moordaanslagen verijdeld, en Therese had er altijd minstens zes om zich heen. Het scheen dat ze zelfs niet bang waren voor reuslingen.

Voor ze achter haar schrijftafel vandaan kwam trok Auberon, de lieveling van de keizerin, haar japon recht. Ze was nog steeds zo slank als een jong meisje.

'Wat heeft dat te betekenen, Jacob? Had ik je geen opdracht gegeven een uurglas te gaan zoeken? En in plaats daarvan duelleer je in mijn paleis met de lijfwacht van mijn aanstaande schoonzoon.'

Jacob boog zijn hoofd. De keizerin hield er niet van als mensen haar aankeken. 'Ik had geen keus. Hij viel me aan en ik heb me verdedigd.' Er zat een diepe snee in zijn onderarm. De nieuwe handtekening van zijn broer.

'Lever hem uit, majesteit,' zei een van de ministers. 'Of nog beter: laat hem executeren, dan laat u zien dat u echt vrede wilt.'

'Onzin,' zei de keizerin geïrriteerd. 'Alsof deze oorlog me nog niet genoeg gekost heeft. Hij is de beste schatzoeker die ik heb! Hij is nog beter dan Chanute.'

Ze kwam zo dicht bij Jacob staan dat hij haar parfum rook. Het scheen dat ze er heksenkruid door liet mengen. Wie het te diep inademde, deed precies wat zij wilde en dacht dat het zijn eigen beslissing was.

'Heeft iemand je betaald?' vroeg ze. 'Iemand die geen zin heeft in deze vrede? Zeg dan maar tegen diegene dat ik er ook geen zin in heb.'

'Majesteit!' De ministers keken geschrokken naar de deur, alsof de goyl daarachter stonden mee te luisteren.

'Zwijg!' snauwde de keizerin. 'Ik betaal voor die vrede met mijn dochter.'

Jacob keek naar Donnersmark, maar die ontweek zijn blik.

'Niemand heeft me betaald,' zei hij. 'En het heeft niets met uw vrede te maken. Ik ben hier vanwege de fee.'

Het gezicht van de keizerin werd op slag net zo uitdrukkingsloos als dat van haar dochter.

'De fee?'

Ze deed haar best om onverschillig te klinken, maar haar stem verried haar. Haat en afschuw. Jacob hoorde het duidelijk. En boosheid. Boosheid, omdat de fee haar zo bang maakte.

'Wat wil je van haar?'

'Geef me vijf minuten met haar alleen. U zult er geen spijt van krijgen. Of vindt uw dochter het wel fijn dat de bruidegom zijn duistere geliefde heeft meegebracht?'

Pas op, Jacob. Maar hij was te wanhopig om voorzichtig te zijn. De Zwarte Fee had zijn broertje gestolen. En hij wilde hem terug.

De keizerin wisselde een blik met haar generaal.

'Hij is al net zo respectloos als zijn leermeester,' zei ze. 'Chanute sprak op dezelfde onbeschaamde toon tegen mijn vader.'

'Vijf minuten maar!' herhaalde Jacob. 'Haar vloek heeft u de overwinning gekost! En duizenden onderdanen!'

Ze keek hem peinzend aan.

'Majesteit!' zei de generaal, maar hij zweeg toen hij haar waarschuwende blik zag.

De keizerin draaide zich om en liep terug naar haar schrijftafel. 'Je bent te laat,' zei ze tegen Jacob. 'Ik heb het verdrag al ondertekend. Zeg maar tegen de goyl dat hij per ongeluk elfenstof heeft ingeademd,' beval ze, terwijl een van de soldaten Jacob bij zijn arm pakte. 'Breng hem naar de poort en zorg dat ze hem niet meer binnenlaten.'

'En Jacob,' riep ze toen de dwergen de deuren opendeden. 'Ik wil dat uurglas nog steeds hebben. En een wenszak.'

HOOFDSTUK 45

Vervlogen tijden

Jacob wist niet hoe hij bij het hotel terugkwam. In alle etalages die hij onderweg passeerde dacht hij het van haat vertrokken gezicht van zijn broer te zien, en elke vrouw die hij tegenkwam veranderde voor zijn ogen in de Zwarte Fee.

Het mocht niet voorbij zijn. Hij zóú haar vinden. Op de bruiloft. Op het station, als ze met haar pasgetrouwde geliefde in zijn onyxzwarte trein stapte. Of in het hangende paleis, slangen of geen slangen. Jacob wist niet meer zo goed wat hem dreef: de behoefte aan wraak, de hoop dat hij Will ondanks alles toch nog terug zou krijgen, of gewoon zijn gekrenkte trots.

In de lobby van het hotel stonden pas aangekomen gasten te wachten tussen koffers en rondrennende piccolo's. Ze kwamen allemaal voor de bruiloft. Er waren zelfs een paar goyl bij. Die trokken nog meer aandacht dan het jongste zusje van de keizerin, dat zonder haar man uit het oosten gekomen was. Ze ging van top tot teen gekleed in zwart bont, alsof het huwelijk van haar nichtje reden was om te rouwen.

De bruiloft zou de volgende ochtend plaatsvinden, zoveel wist Jacob intussen wel. In de kathedraal waar ook Therese van Austrië getrouwd was, en haar vader vóór haar.

Het kamermeisje had zijn kleren versteld en gewassen, en Jacob had ze onder zijn arm toen hij zijn kamerdeur openmaakte. Zodra hij de man voor het raam zag staan liet hij ze uit zijn handen vallen, maar Donnersmark draaide zich om voor hij zijn pistool had getrokken. Donnersmarks uniform was smetteloos wit, alsof het moest doen vergeten dat modder en bloed de kleuren van de soldaat waren.

'Bestaan er kamers waar de adjudant van de keizerin níét binnenkomt?' vroeg Jacob. Hij raapte zijn kleren op en deed de deur achter zich dicht.

'De verboden kamers van blauwbaarden. Daar heeft een mens nog altijd meer aan jouw talenten dan aan een uniform.'

Donnersmark hinkte naar Jacob toe. 'Wat heb jij bij de Zwarte Fee te zoeken?'

Ze hadden elkaar bijna een jaar niet gezien, maar twee mensen die samen aan een blauwbaard zijn ontsnapt, of naar een duivelshaar hebben gezocht, hebben een band die niet zo snel meer breekt. Jacob had het met Donnersmark allemaal meegemaakt, en nog veel meer ook. Die duivelshaar hadden ze nooit gevonden, maar Donnersmark had Jacob de bruine wolf die het glazen muiltje bewaakte van het lijf gehouden, en

Jacob had voorkomen dat Donnersmark door een knuppel-uit-de-zak werd doodgeslagen.

'Wat is er met je been gebeurd?'

Donnersmark bleef voor hem staan. 'Wat denk je? Het was oorlog.'

Beneden op straat ratelden rijtuigen voorbij. Paarden hinnikten, koetsiers vloekten. Het was allemaal niet zo heel anders dan in de andere wereld. Maar boven een bos rozen op het nachtkastje zoemden twee elfen zo groot als hommels. Veel hotelhouders lieten elfen in de kamers vliegen omdat ze met hun stof voor prettige dromen zorgden.

'Ik heb een vraag aan je. Je kunt je vast wel indenken in wiens opdracht ik die stel.' Donnersmark sloeg een vlieg van zijn witte uniform. 'Als je die vijf minuten zou krijgen, zou de koning van de goyl zijn geliefde daarna dan nog terugzien?'

Jacob had een paar tellen nodig om te begrijpen wat hij hoorde.

'Nee,' antwoordde hij ten slotte. 'Hij zou haar nooit meer terugzien.'

Donnersmark bekeek hem alsof hij van zijn voorhoofd probeerde af te lezen wat hij in zijn schild voerde. Uiteindelijk wees hij naar Jacobs hals.

'Je hebt het medaillon niet meer om. Heb je vrede gesloten met haar rode zuster?'

'Ja. En ze heeft me verteld wat de zwarte kwetsbaar maakt.'

Donnersmark hing zijn sabel recht. Hij was altijd een goed schermer geweest, maar daar had zijn stijve been waarschijnlijk een einde aan gemaakt.

'Je sluit vrede met de ene zuster om de andere de oorlog te verklaren. Zo gaat het altijd met vrede, nietwaar? Die is altijd weer tegen iemand anders gericht. Kweekt altijd al het zaad voor de volgende oorlog.'

Hij hinkte naar het bed.

'Dan rest alleen de vraag: waarom? Ik weet dat deze oorlog je onverschillig laat. Dus waarom zou je riskeren door de Zwarte Fee vermoord te worden?'

'De jadegoyl die hun koning bewaakt is mijn broer.'

De woorden leken het definitief waar te maken.

Donnersmark wreef over zijn gewonde been. 'Ik wist niet eens dat je een broer had. Maar nu ik erover nadenk – ik weet vermoedelijk nog veel meer niet van je.' Hij keek naar het raam. 'Zonder de fee zouden we deze oorlog verloren hebben.'

Nee, dat is niet waar, dacht Jacob. *Hun koning heeft namelijk meer verstand van oorlog voeren dan jullie allemaal bij elkaar. En mijn vader heeft hem geleerd hoe je betere geweren maakt. En ze hebben de dwergen tot bondgenoot gemaakt. En jullie hebben hun woede eeuwenlang alleen maar aangewakkerd.*

Donnersmark wist dat ook allemaal. Maar het was veel makkelijker om de fee de schuld te geven. Hij stond op en ging weer voor het raam staan.

'Elke avond na zonsondergang gaat ze naar de paleistuin. Kami'en laat ze vooraf doorzoeken, maar zijn mannen doen dat niet al te grondig. Ze weten toch dat niemand haar iets kan maken.'

Hij draaide zich om. 'En als je broer nu niet te redden is? Als hij voor altijd een van hen blijft?'

Ja, Jacob, wat dan?

'Je keizerin geeft een van hen haar dochter tot vrouw.'

Daar gaf Donnersmark geen antwoord op. Op de gang liepen mensen te praten. Donnersmark wachtte tot de stemmen weggestorven waren.

'Zodra het donker wordt, stuur ik je twee van mijn mannen. Die brengen je naar de tuinen.'

Hij hinkte langs Jacob, maar bij de deur bleef hij nog even staan. 'Heb ik je deze wel eens laten zien?' Hij streek over een van de onderscheidingen op zijn jas, een ster met het zegel van de koningin in het midden. 'Deze hebben ze me gegeven toen we het glazen muiltje gevonden hadden. Toen jíj het glazen muiltje gevonden had.'

Hij keek Jacob aan. 'Ik ben hier in uniform. Ik hoop dat je begrijpt wat dat betekent. Maar ik zie mezelf ook als je vriend, hoewel ik weet dat jij dat woord niet graag gebruikt. Wat je ook weet over de Zwarte Fee – wat jij van plan bent is zelfmoord. Ik weet dat je haar zuster hebt verlaten en het hebt overleefd. Maar deze fee is anders. Ze is gevaarlijker dan wie of wat dan ook. Ga liever die wenszak zoeken, of de boom des levens. Het vuurpaard, een mensenzwaan – om het even wat. Laat mij naar het paleis teruggaan met de mededeling dat je je bedacht hebt. Sluit vrede. Dat zouden we allemaal moeten doen.'

Jacob zag een waarschuwing in zijn blik. En een smeekbede. Maar hij schudde zijn hoofd. 'Ik wacht hier als het donker wordt.'

'Ik wíst het,' zei Donnersmark. En hij stapte de gang op.

HOOFDSTUK 46

De zwarte zuster

Het was al een uur donker, maar op de gang buiten Jacobs kamer bleef het stil. Hij was al bang dat Donnersmark had besloten hem tegen zichzelf in bescherming te nemen toen er eindelijk werd aangeklopt. Maar voor de deur stonden geen soldaten.

Jacob herkende Vos eerst bijna niet. Ze droeg een lange zwarte jas over haar jurk en had haar haren opgestoken.

'Clara wilde je broer nog een laatste keer zien.' Haar stem klonk niet naar verlichte straten, maar naar bos en vossenvacht. 'Ze heeft de dwerg overgehaald om morgen met haar naar de bruiloft te gaan.'

Ze streek over haar jas. 'Dit staat zeker belachelijk, hè?'

Jacob trok haar de kamer in en deed de deur dicht. 'Waarom heb je het Clara niet uit het hoofd gepraat?'

'Waarom zou ik?'

Ze legde een hand op zijn gewonde arm, en hij kromp in elkaar. 'Wat is er gebeurd?' vroeg ze.

'Niets.'

'Clara zegt dat je bij de Zwarte Fee probeert te komen. Jacob?' Ze nam zijn gezicht tussen haar handen. Haar smalle handen, nog steeds de handen van een meisje. 'Is dat waar?'

Haar bruine ogen keken recht in zijn hart. Vos merkte het altijd als hij loog, maar deze keer moest hij haar om de tuin zien te leiden, anders zou ze achter hem aan komen, en Jacob wist dat hij zichzelf veel kon vergeven, maar niet dat zij door zijn schuld aan haar einde kwam.

Er werd opnieuw aangeklopt.

'Dat was ik inderdaad van plan,' zei hij. 'Maar ik heb Will gezien. Je had gelijk. Het is voorbij.'

Deze keer stonden de mannen van Donnersmark voor de deur.

'Jacob Reckless?' Het tweetal was niet veel ouder dan Will.

Jacob trok Vos mee de gang op. 'Ik ga me bezatten met Donnersmark. Als jij morgen met Clara naar de bruiloft wil, ga je gang. Maar ik neem de eerste trein naar Schwanstein.'

Geloof me, Vos. Alsjeblieft.

Haar blik dwaalde van hem naar de soldaten. En de Zwarte Fee was vast al in de paleistuin.

Ze geloofde hem niet. Jacob zag het aan haar gezicht. Hoe kon het ook anders? Niemand kende hem beter dan zij. Zelfs hijzelf niet. Ze zag er zo kwetsbaar uit in die mensenkleren, maar ze zou achter hem aan komen. Wat hij ook zei.

Zonder een woord te zeggen liep Vos achter hem en de soldaten aan naar de lift. Ze was nog steeds boos om dat leeuwerikwater. En straks werd ze nog veel bozer, maar ze zou tenminste wel in leven blijven.

'Die jas staat helemaal niet belachelijk,' zei hij toen ze voor de lift stonden. 'Hij staat je juist mooi. Maar ik wou dat je niet gekomen was.' En tegen de soldaten zei hij: 'Zij mag niet achter me aan komen. Een van jullie moet bij haar blijven.'

Vos probeerde van gedaante te veranderen, maar Jacob pakte haar bij een arm. Huid op huid, dat hield de vacht tegen. Met de tegenspartelende Vos stevig tegen zich aan gedrukt gaf Jacob zijn kamersleutel aan een van de soldaten. De jongen had weliswaar een babygezicht, maar hij was zo breed als een kleerkast. Hopelijk zou hij goed op haar letten.

'Ze mag mijn kamer pas uit als het ochtend wordt,' zei hij. 'En pas op. Ze is een vormveranderaar.'

De soldaat knikte en pakte Vos bij haar arm, al keek hij erbij alsof hij helemaal niet blij was met de opdracht. De wanhoop in Vos' blik deed Jacob pijn. Maar de gedachte dat hij haar kwijt kon raken deed nog veel meer pijn.

'Ze zal je doden!' Haar ogen verdronken in woede en tranen.

'Misschien wel,' zei Jacob. 'Maar daaraan verandert niets als ze hetzelfde doet met jou.'

De soldaat nam haar mee terug naar de kamer. Ze verzette zich zoals het dier in haar gedaan zou hebben, en voor de deur wist ze zich bijna los te rukken.

'Jacob! Ga niet!'

Toen de lift beneden aankwam hoorde hij haar nog steeds roepen. Heel even wilde hij niets liever dan weer naar boven gaan, al was het alleen maar om de woede en de angst uit haar blik te zien verdwijnen.

De andere soldaat was zichtbaar opgelucht dat Jacob niet hem had uitgekozen om op Vos te passen. Onderweg naar het paleis kwam Jacob te weten dat hij uit een dorp in het zuiden kwam, dat hij het soldatenleven nog steeds spannend vond, en dat hij duidelijk geen idee had wie Jacob in de paleistuin hoopte aan te treffen.

De grote poort aan de achterkant van het paleis werd maar één keer per jaar voor het volk geopend. De soldaat deed er een eeuwigheid over om het slot open te krijgen, en weer miste Jacob de magische sleutel en al die andere spullen die hij in de goylvesting verloren had. Zijn begeleider maakte de ketting weer vast zodra Jacob de poort door was, maar bleef vervolgens met zijn rug ernaartoe op de stoep staan. Donnersmark wilde natuurlijk weten of Jacob ook weer naar buiten kwam.

Vanuit de verte klonken de geluiden van de stad, van koetsen en paarden, dronkenlappen, straatverkopers en nachtwakers. Achter de paleismuren klaterden fonteinen, en in de bomen zongen de mechanische nachtegalen die de keizerin voor haar laatste verjaardag van haar zusters had gekregen. Achter een aantal ramen brandde nog licht, maar op de balkons en trappen van het paleis was het aan de vooravond van de bruiloft spookachtig stil. Jacob probeerde zich niet af te vragen waar Will op dit moment was.

Het was een koude avond; zijn laarzen lieten een donker spoor achter op de witberijpte gazons, maar het gras dempte zijn voetstappen een stuk beter dan de grindpaden die langs bloembedden en heggen slingerden. Jacob zocht niet naar sporen van de Zwarte Fee; hij wist waar ze was. Midden in de tuin lag een vijver die bijna net zo dicht met lelies begroeid was als het meer van de feeën. Net als daar bogen wilgen zich over het donkere water.

De fee stond op de oever, met het licht van de sterren op haar haren. De twee manen liefkoosden haar huid, en Jacobs haat verdronk bijna in haar schoonheid. Maar de herinnering aan Wills versteende gezicht bracht het oude gevoel snel terug.

Toen ze hem hoorde aankomen, draaide ze zich met een ruk om. Hij knoopte zijn zwarte jas los, zodat ze het witte overhemd eronder kon zien, zoals haar zuster hem aangeraden had. '*Wit als sneeuw. Rood als bloed. Zwart als ebbenhout.*' Eén kleur ontbrak nog.

De Zwarte Fee maakte met een snelle beweging haar haren los, en haar motten vlogen op hem af. Maar Jacob haalde zijn mes al langs zijn arm en smeerde het bloed op het witte overhemd. De motten dwarrelden alle kanten op, alsof ze hun vleugeltjes gebrand hadden.

'Wit, rood, zwart...' zei hij, terwijl hij het lemmet aan zijn mouw afveegde. 'Sneeuwwitjekleuren. Zo noemde mijn broer ze altijd. Hij was dol op dat sprookje. Maar wie had kunnen denken dat ze zoveel macht hebben?'

De fee deed een stap achteruit. 'Hoe weet jij dat van de drie kleuren?'

'Je zuster heeft het me ingefluisterd.'

'Ze verraadt jou onze geheimen, als dank omdat je haar verlaten hebt?'

Niet naar haar kijken, Jacob. Ze is te mooi.

De fee trok haar schoenen uit en liep naar de waterkant. Jacob voelde haar macht zoals hij de avondkou voelde.

'Blijkbaar is wat jij gedaan hebt moeilijker te vergeven,' zei hij.

'Ja, ze zijn nog steeds boos omdat ik weggegaan ben.' Ze lachte zacht en de motten glipten terug in haar haren. 'Maar ik kan me niet voorstellen wat ze denkt te winnen door jou over de drie kleuren te vertellen. Alsof ik motten nodig heb om jou te doden.'

Ze liep achteruit tot het water zich sloot boven haar blote voeten en het donker begon te golven, alsof de lucht zelf veranderde in water.

Jacob merkte dat hij moeite kreeg met ademhalen.

'Ik wil mijn broer terug.'

'Waarom? Ik heb hem alleen maar veranderd in wie hij altijd al hoorde te zijn.' De fee wierp haar lange haar over haar schouders. 'Weet je wat ik denk? Mijn zuster is nog steeds zo verliefd dat ze je niet zelf kan doden. Daarom heeft ze je naar mij gestuurd!'

Door haar schoonheid vergat hij alles – de haat die hem hier had gebracht, de liefde voor zijn broer en zichzelf. *Niet naar haar kijken, Jacob!* Hij pakte zijn gewonde arm vast, zodat de pijn hem kon beschermen. De pijn die was veroorzaakt door het zwaard van zijn broer. Hij kneep zo hard dat het bloed over zijn hand liep, en de beelden kwamen terug. Wills van haat vertrokken gezicht. Zijn verloren broer.

De Zwarte Fee kwam op hem af.

Ja. Kom maar dichterbij.

'Ben je echt zo arrogant om te denken dat je mij zomaar eisen kunt stellen?' Vlak voor hem bleef ze staan. 'Omdat die ene fee geen weerstand aan je kon bieden, denk je dat we allemaal wel voor je zullen vallen?'

'Nee. Dat is het niet,' antwoordde Jacob.

Haar ogen werden groot toen hij haar bij haar arm pakte.

Het donker spande zich als een spinnenweb om zijn mond, maar voor de fee zijn tong kon verlammen, sprak hij haar naam uit.

Ze duwde hem weg en stak haar handen op alsof ze de noodlottige lettergrepen nog kon afweren. Maar haar vingers veranderden al in takken en haar voeten kregen wortels. Haar haren werden bladeren, haar huid werd bast, en haar kreet klonk als de wind in het loof van een wilg.

'Je hebt een mooie naam,' zei Jacob, terwijl hij tussen de neerhangende takken ging staan. 'Jammer dat hij alleen in jullie rijk mag worden uitgesproken. Heb je hem wel eens aan je geliefde verteld?'

De wilg kreunde en boog zich over de vijver alsof hij huilde boven zijn eigen spiegelbeeld.

'Je hebt mijn broer een huid van steen gegeven. Ik jou een van schors. Dat lijkt me een eerlijke ruil, of niet?' Jacob knoopte zijn jas dicht over zijn bebloede overhemd. 'Ik ga nu op zoek naar Will. En als zijn huid nog steeds van jade is, kom ik terug om je wortels in brand te steken.'

Jacob kon niet zeggen waar haar stem vandaan kwam. Misschien zat hij alleen in zijn hoofd, maar hij hoorde het zo duidelijk alsof ze het hem in zijn oor fluisterde: 'Laat me vrij en ik geef je broer zijn mensenhuid terug.'

'Je zuster zei al dat je dat zou beloven. En dat ik je niet moest vertrouwen.'

'Breng hem bij me en ik zal het je bewijzen!'

'Je zuster heeft me geadviseerd nog iets anders te doen.' Jacob deed een greep in de takken en plukte een handvol zilverige blaadjes.

De wilg zuchtte toen hij ze in zijn zakdoek stopte.

'Deze blaadjes moet ik naar je zuster brengen,' zei Jacob. 'Maar ik denk dat ik ze maar hou, om ze te ruilen tegen de huid van mijn broer.'

De vijver was een zilveren spiegel, en de hand waarmee hij de fee had aangeraakt voelde bevroren aan.

'Ik breng hem bij je,' zei hij. 'Vannacht nog.'

De takken van de wilg sidderden.

'Nee!' lispelden de blaadjes. 'Kami'en heeft hem nodig! Hij moet bij hem blijven tot de bruiloft voorbij is.'

'Waarom?'

'Beloof het, of ik help je niet.'

Jacob hoorde haar stem nog toen de vijver allang achter de heggen verdwenen was.

'Beloof het!'

Hij hoorde het, aan één stuk door.

HOOFDSTUK 47

De wonderkamers van de keizerin

Ik breng hem bij je. Maar hoe? Jacob stond wel een uur achter de stallen die tussen de tuin en het paleis in lagen naar de ramen van de noordvleugel te staren. Daar brandde nog steeds licht – kaarslicht, wat goyl het prettigst vonden – en één keer dacht hij de koning achter een van de ramen naar de donkere tuin te zien kijken. Hij wachtte op zijn geliefde. Op de avond voor zijn bruiloft.

Ik breng hem bij je. Maar hoe?

Het was een kinderspeeltje dat Jacob het antwoord gaf. Een vieze bal die tussen de emmers lag waarmee de knechten de paarden drenkten. *Natuurlijk, Jacob. De gouden bal.*

Drie jaar geleden had hij hem zelf aan de keizerin verkocht. De bal was een van haar favoriete schatten; hij lag in haar wonderkamers. Maar geen wachter zou Jacob nog een keer het paleis in laten, en de goyl hadden hem zijn verdwijnslijm afgepakt.

Het kostte hem nog een uur om een slak te vinden die het slijm produceerde. De tuinlieden van de keizerin maakten ze altijd dood als ze ze vonden, maar uiteindelijk ontdekte Jacob er twee onder de bemoste rand van een fontein. Hun huisjes werden alweer zichtbaar, en het slijm begon te werken zodra hij het onder zijn neus smeerde. Het was niet veel, maar voor een uur of twee uur zou het wel genoeg zijn.

Voor de ingang voor leveranciers en dienstboden leunde maar één wachtpost tegen de muur. Jacob sloop langs hem zonder hem uit zijn halfslaap te wekken.

In de keukens en linnenkamers werd zelfs 's nachts doorgewerkt. Een van de vermoeide dienstmeiden bleef geschrokken staan toen Jacobs onzichtbare schouder langs haar streek. Even later kwam hij bij de trap die van de knechten naar de meesters leidde. Omdat hij het slijm een paar dagen geleden nog gebruikt had, werd zijn huid langzamerhand gevoelloos, maar gelukkig raakte hij nog niet verlamd.

De wonderkamers lagen in de zuidvleugel, het nieuwste deel van het paleis. De zes zalen die ze inmiddels in beslag namen waren bekleed met lapis lazuli, een steensoort die de toverkracht van de tentoongestelde objecten verzwakte. De keizerlijke familie had van oudsher grote belangstelling voor de magische voorwerpen van deze wereld en had altijd geprobeerd er zoveel mogelijk in bezit te krijgen. Maar pas de vader van de keizerin had bij wet geregeld dat voorwerpen, dieren en mensen met magische eigenschappen aan de autoriteiten gemeld moesten worden. Het viel immers niet mee om te regeren in een wereld waarin goudbomen bedelaars in vorsten veranderden en waar sprekende dieren houthakkers rebelse wijsheden influisterden.

Voor de vergulde deuren stonden geen wachters. De grootvader van de keizerin had een smid in de arm genomen, die het vak geleerd had bij een heks. In de bomen die op de deuren hun gouden takken spreidden, waren takken van heksenberken verwerkt; wie de deuren opende zonder hun geheim te kennen, werd erdoor gespietst. Zodra iemand de deurkruk aanraakte schoten ze als lansen tevoorschijn, en net als de berken in het Donkere Bos mikten ze eerst op de ogen. Maar Jacob kende het geheim van de wonderkamers. Zonder de deurkrukken aan te raken ging hij vlak voor de deuren staan. Tussen de bladeren had de smid een specht verstopt. Jacob ademde op het goud, en de veren van de specht werden bont als die van een echte vogel. De deuren zwaaiden open alsof de wind er plotseling vat op gekregen had.

De wonderkamers van Austrië.

De eerste zaal was voor het grootste deel gevuld met magische dieren die aan hun eind gekomen waren als jachtbuit van de keizerlijke familie. Terwijl Jacob langs de uitstalkasten liep die de opgezette beesten beschermden tegen stof en motten, leken ze hem met hun glazen ogen te volgen. Een eenhoorn. Gevleugelde hazen. Een bruine wolf. Mensenzwanen. Toverkraaien. Sprekende paarden. Natuurlijk was er ook een vos bij. Het dier was minder teer gebouwd dan de Vos die hij kende, maar toch kon hij bijna niet naar haar kijken.

De tweede zaal bevatte voorwerpen die van heksen afkomstig waren. De wonderkamers maakten geen onderscheid tussen genezeressen en kindereetsters. Messen waarmee het vlees van mensenbotten gesneden was, lagen naast naalden die met één steek wonden genazen en uilenveren die blinden het licht in hun ogen teruggaven. Er lagen twee bezems, waarop heksen ooit net zo hoog en snel gevlogen hadden als vogels, en peperkoek uit de dodelijke huisjes van hun kinderenetende zusters.

In de uitstalkasten in de derde zaal lagen schubben van nimfen en watergeesten, waarmee je, als je ze onder je tong legde, heel diep en lang onder water kon blijven. Maar er waren ook drakenschubben in alle kleuren van de regenboog. In bijna alle uithoeken van deze wereld gingen geruchten over nog levende exemplaren. Zelf had Jacob in het hoge noorden wel eens schimmen aan de hemel gezien die verdacht veel op het gemummificeerde lichaam in de vierde zaal leken. Alleen de staart al nam bijna een halve muur in beslag, en bij de aanblik van de enorme tanden en klauwen was Jacob bijna blij dat de keizerlijke familie de soort had uitgeroeid.

De gouden bal lag in de vijfde zaal, op een kussen van zwart fluweel. Jacob had hem gevonden in de grot van een watergeest, bij een ontvoerde bakkersdochter. Hij was niet veel groter dan een kippenei, en de beschrijving die op het zwarte fluweel geprikt was klonk bijna als het sprookje dat in de andere wereld van een gouden bal verhaalde: *Oorspronkelijk lievelingsspeeltje van de jongste dochter van Leopold de Goedmoedige, waarmee ze haar bruidegom (de latere Wenceslas de Tweede) vond en bevrijdde van een kikkervloek.*

Maar dat was niet de hele waarheid. De bal was een val. Wie hem ving werd erin gezogen en pas weer bevrijd als iemand het goud opwreef.

Jacob wrikte de uitstalkast met zijn mes open en kwam

even in de verleiding om nog een paar andere dingen mee te nemen voor de kist in Chanutes herberg, maar de keizerin zou al boos genoeg zijn vanwege de bal. Jacob stak hem net in zijn jaszak toen in de eerste zaal de gaslampen opvlamden. Hij begon alweer zichtbaar te worden en verstopte zich vlug achter een uitstalkast met een afgedragen zevenmijlslaars van salamanderleer, die Chanute aan de vader van de keizerin verkocht had (de tweede stond in de wonderkamer van de koning van Albion). Voetstappen galmden door de zalen, en uiteindelijk hoorde Jacob dat iemand een kast openmaakte. Hij kon niet zien wie het was en durfde zich ook niet te verroeren, uit angst dat zijn voetstappen hem zouden verraden. Wie het ook was, hij bleef niet lang. Het licht ging uit, de zware deuren vielen dicht en Jacob was weer alleen in het donker.

Hij was spuugmisselijk van het slijm, maar hij kon het niet laten om nog een keer langs de uitstalkasten te lopen en te kijken voor welke schatten die andere nachtelijke bezoeker gekomen was. De genezende heksennaald was weg, net als twee drakenklauwen, die zouden beschermen tegen verwondingen, en een reepje watergeestenhuid met dezelfde werking. Jacob kon er geen wijs uit worden en stelde zich uiteindelijk tevreden met de verklaring dat de keizerin de bruidegom wat magische voorwerpen cadeau wilde doen, om zich ervan te verzekeren dat hij niet alweer heel binnenkort door een minder vredelievende goyl zou worden vervangen.

Toen de gouden deuren achter hem dichtvielen, was Jacob zo misselijk dat hij bijna moest overgeven. Hij had kramp, voorbode van de verlamming die het slijm kon veroorzaken, en er kwam maar geen einde aan de gangen van het paleis. Jacob besloot dezelfde weg terug te lopen naar de tuin. Tussen de tuin en de straat stonden hoge muren, maar het rapunzeltouw liet hem ook nu niet in de steek. Dat was tenminste één nuttig voorwerp dat hij niet kwijtgeraakt was.

Donnersmarks man stond nog steeds voor de poort, maar zag Jacob niet wegglippen. Jacob was nu half zichtbaar, als een geest, en een nachtwaker die in de donkere straten zijn rondjes liep liet van schrik zijn lantaarn vallen toen hij hem zag.

Gelukkig was hij weer zichtbaar genoeg toen hij bij het hotel kwam. Elke stap kostte hem moeite en hij kon zijn vingers al bijna niet meer buigen. Hij haalde nog net de lift. Pas toen hij voor zijn kamer stond schoot Vos hem te binnen.

Jacob moest zo hard kloppen dat twee andere gasten hun hoofd verontwaardigd de gang in staken voor de soldaat eindelijk opendeed. Jacob strompelde de kamer in en gaf over in de badkamer. Vos was nergens te bekennen.

'Waar is ze?' vroeg Jacob toen hij de badkamer uit kwam. Zijn benen begaven het bijna, en hij moest steun zoeken bij de muur.

'Ik heb haar opgesloten in de kast!' De soldaat stak beschuldigend zijn hand in de lucht; er zat een bebloede zakdoek omheen. 'Ze heeft me gebeten!'

Jacob duwde hem de gang op. 'Zeg maar tegen Donnersmark dat ik gedaan heb wat ik beloofd had.'

Uitgeput liet hij zich tegen de deur zakken. Een elfje strooide zilverig stof op zijn schouder. *Droom zacht, Jacob.*

Vos droeg haar vacht en gromde toen hij de kast openmaakte. Als ze opgelucht was om hem te zien, dan wist ze dat goed te verbergen.

'De fee?' vroeg ze, terwijl ze onbewogen toekeek hoe hij zijn met bloed besmeurde hemd probeerde uit te krijgen.

Zijn vingers waren inmiddels zo stijf als een plank. 'Hé, ik ruik verdwijnslijm.'

Vos likte haar vacht, alsof ze de grijpgrage handen van de soldaat nog kon voelen.

Jacob ging op het bed zitten voor hij ook dat niet meer zou kunnen. Zijn knieën werden al stijf.

'Help me, Vos. Ik moet morgen naar de bruiloft en ik kan me bijna niet meer bewegen.'

Ze keek hem zo lang zwijgend aan dat Jacob begon te geloven dat ze het praten verleerd was.

'Een stevige beet helpt misschien,' zei ze uiteindelijk. 'En ik moet zeggen, het zou me een genoegen zijn. Maar eerst vertel je me wat je van plan bent.'

HOOFDSTUK 48

Trouwplannen

Het eerste morgenrood verscheen al boven de daken van de stad. De keizerin had niet geslapen. Ze had gewacht, uur na uur, maar toen Donnersmark eindelijk door een van haar dwergen haar audiëntiekamer binnengeleid werd, verborg haar gezicht al dat wachten en hopen achter een masker van poeder.

'Het is hem gelukt. Kami'en laat al naar haar zoeken, maar als Jacob de waarheid spreekt vinden ze haar nooit.'

Donnersmark leek niet echt gelukkig met het nieuws dat hij bracht, maar het hart van de keizerin begon sneller te kloppen, want dit was het nieuws waarop ze gehoopt had.

'Mooi.' Ze streek over haar strak naar achteren getrokken haar. Het werd al grijs, maar ze liet het verven. Goudblond, zoals het haar van haar dochter. Ze zou Amalie houden. En haar troon ook, en haar trots.

'Geef de bevelen die we voorbereid hebben.'

Donnersmark boog zijn hoofd, zoals gewoonlijk als hij het met een bevel niet eens was.

'Wat?' vroeg de keizerin

'U kunt hun koning doden, maar zijn legers staan nog steeds nauwelijks twintig mijl verderop.'

'Zonder Kami'en en de fee zijn ze verloren.'

'Hij zal worden vervangen door een onyxgoyl.'

'Die vrede sluit! Onyxgoyl willen alleen onder de grond heersen.' De keizerin hoorde zelf hoe ongeduldig ze klonk. Ze wilde niet denken, ze wilde doen. Vóór haar kans verkeken was.

'Maar hun ondergrondse steden puilen uit. En zijn volk zal zich willen wreken. Ze verafgoden hun koning!'

Hij was zo koppig als een ezel. En hij had genoeg van de oorlog. Maar geen mens was slimmer dan hij. En minder corrupt.

'Ik zeg het niet nog een keer. Geef de bevelen!'

Ze wenkte haar jongste dwerg. 'Ga mijn ontbijt halen. Ik heb honger.'

De dwerg haastte zich de kamer uit. Donnersmark had zich niet verroerd.

'En zijn broer dan?'

'Hoezo, en zijn broer dan? Zijn broer is de lijfwacht van de koning. Dan zal hij dus wel samen met hem sterven. Heb je de spullen voor mijn dochter?'

Donnersmark legde alles op de tafel, waaraan ze als kind vaak had toegekeken hoe haar vader verdragen en doodvonnissen bezegelde. Nu droeg zij de zegelring.

Een helende naald, een drakenklauw en een lapje huid van een watergeest. Therese van Austrië liep naar de tafel en voelde aan de lichtgroene schubben die ooit de hand van een watergeest bedekt hadden.

'Laat de klauw en de huid in de trouwjurk van mijn dochter naaien,' beval ze haar kamenierster, die bij de deur stond te wachten. 'En geef de naald aan de dokter die klaarstaat in de sacristie van de kerk.'

Donnersmark gaf haar een tweede klauw. 'Die is voor u.' Hij salueerde en draaide zich om.

'Hoe zit het met Jacob? Heb je hem laten arresteren?'

Donnersmark bleef staan alsof ze een lijk voor zijn voeten had gegooid. Maar toen hij zich omdraaide, verried zijn gezicht net zo weinig als het hare.

'De soldaat die voor de poort op hem heeft staan wachten zegt dat hij niet naar buiten is gekomen. In het paleis konden we hem ook niet vinden.'

'En? Hebben jullie zijn hotel in de gaten gehouden?'

Hij keek haar recht in de ogen, maar uit zijn blik kon ze niets opmaken. 'Ja. Daar is hij niet.'

De keizerin streek over de drakenklauw in haar hand. 'Zorg dat je hem vindt. Je weet hoe hij is. Zodra de bruiloft voorbij is kun je hem laten gaan.'

'Voor zijn broer is dat te laat.'

'Voor zijn broer is het nu al te laat. Hij is een goyl.'

De dwerg kwam terug met het ontbijt. Buiten werd het licht, en de nacht had de Zwarte Fee meegenomen. Tijd om terug te pakken wat ze met haar toverkunst van haar, de keizerin, gestolen had. Wie wilde er vrede als de overwinning voor het grijpen lag?

HOOFDSTUK 49

Een van hen

Will deed zijn best om niet te luisteren. Hij was de schaduw van de koning, en een schaduw was doof en stom. Maar Hentzau praatte zo hard dat hij hem wel moest horen.

'Zonder de fee kan ik u niet beschermen. De extra troepen die ik opgeroepen heb kunnen hier niet voor vanavond zijn, en de keizerin weet dat!'

Kami'en knoopte zijn jas dicht: geen rokkostuum voor de bruidegom. Gewoon zijn donkergroene uniform, zijn tweede huid. Daarin had hij hen verslagen. Daarin zou hij een van hen trouwen. De eerste goyl die een mens tot vrouw nam.

'Uwe majesteit, het is niets voor haar om er zonder iets te zeggen vandoor te gaan!' Uit Hentzaus stem sprak iets wat Will bij hem nog nooit gehoord had. Angst.

'Integendeel. Het is juist echt iets voor haar.' De koning nam zijn sabel van Will aan. 'Ze heeft een hekel aan ons gebruik om met meerdere vrouwen te trouwen, ook al weet ze best dat zij ook het recht heeft om een andere man te nemen.'

Hij haakte zijn sabel aan zijn met zilver beslagen riem en liep naar de spiegel naast het raam. Het glanzende glas herinnerde Will ergens aan. Maar waaraan?

'Waarschijnlijk heeft ze het vanaf het begin zo gepland en moest jij daarom de jadegoyl zoeken. En als ze gelijk heeft,' voegde de koning er met een blik op Will aan toe, 'ben ik met hem in de buurt altijd veilig.'

'Wijk niet van zijn zijde.' De fee had het zo vaak gezegd dat Will het in zijn dromen nog hoorde. *'En als hij je wegstuurt, niet gehoorzamen!'*

Ze was zo mooi. Maar Hentzau verafschuwde haar. Desondanks had hij Will getraind, zoals zij bevolen had. Soms was hij zelfs zo fanatiek geweest dat het leek alsof hij hem probeerde te vermoorden. Gelukkig genas goylhuid ook weer snel, en de angst had alleen maar een betere strijder van Will gemaakt. Gisteren nog had hij Hentzau zijn sabel uit handen geslagen. 'Wat heb ik je gezegd?' had de fee hem toegefluisterd. 'Je bent een geboren beschermengel. Misschien geef ik je op een dag wel vleugels.'

'Maar wat was ik dan eerst?' had Will gevraagd.

'Sinds wanneer vraagt de vlinder naar de rups?' had ze teruggekaatst. 'Hij vergeet hem. En houdt van wat hij is.'

En ja, dat deed hij. Will hield van de onkwetsbaarheid van zijn huid en de kracht en onvermoeibaarheid van zijn ledematen, waarmee hij elke weekhuid veruit de baas was – al wist hij best dat hij uit hun vlees geboren was. Hij nam het zichzelf nog steeds kwalijk dat hij die ene, die als een rat door de geheime gangen had gescharreld, had laten ontsnappen. Will kon zijn gezicht maar niet vergeten: die grijze, goudloze ogen, het donkere haar dat zo fijn was als de draden van een spinnenweb, de weke huid die zijn zwakte verried... Huiverend wreef hij zijn gladde handen.

'De waarheid is dat jij deze vrede helemaal niet wilt.' De koning klonk geprikkeld, en Hentzau boog zijn hoofd als een oude wolf voor de leider van de roedel. 'Jij zou hen het liefst allemaal in de pan hakken. Een voor een. Mannen, vrouwen en kinderen.'

'Klopt,' antwoordde Hentzau met schorre stem. 'Want zolang er ook maar één in leven is, zullen ze hetzelfde met ons willen doen. Stel de bruiloft een dag uit. Tot er versterking is.'

Kami'en stak zijn klauwen in zijn handschoenen, gemaakt van het leer van slangen die zo diep in de aarde leefden dat de goyl die op hen joegen hun huid voelden smelten. De fee had Will over de slangen verteld. Ze had allerlei dingen beschreven: de straten van de doden, de zandsteenwatervallen, onderaardse meren en bloemenweiden van amethist. Hij popelde om al die wonderen met eigen ogen te zien.

De koning pakte zijn helm en streek over de hagedissenstekels waarmee die versierd was. Vederbossen voor de mensen, hagedissenstekels voor de goyl. 'Je weet best wat ze dan zouden zeggen: de goyl is bang voor ons omdat hij zich niet meer achter de rokken van zijn geliefde kan verstoppen. En: we hebben altijd al geweten dat hij deze oorlog alleen dankzij haar gewonnen heeft.'

Hentzau zei niets.

'Zie je wel? Je weet dat ik gelijk heb.' De koning keerde hem de rug toe. Will boog vlug zijn hoofd toen hij zijn kant op kwam.

'Ik was erbij toen ze van je droomde,' zei Kami'en. 'Ik zag je gezicht in haar ogen. Hoe kun je dromen wat nog niet gebeurd is, een man zien die je nooit ontmoet hebt? Of heeft zijzelf jou tevoorschijn gedroomd? Heeft ze al dat stenen vlees alleen maar gezaaid om jou te kunnen oogsten?'

Wills vingers sloten zich om zijn sabelknop. 'Ik geloof dat iets in ons de antwoorden kent, uwe majesteit,' zei hij. 'Maar er zijn geen woorden voor. Ik zal u niet teleurstellen. Dat is alles wat ik weet. Ik zweer het.'

De koning keek om naar Hentzau. 'Moet je horen, mijn schaduw is dus toch niet stom. Heb je hem behalve vechten soms ook praten geleerd?' Hij glimlachte naar Will. 'Wat heeft ze tegen je gezegd? Dat je zelfs bij het jawoord naast me moet staan?'

Will voelde Hentzaus troebele blik als rijp op zijn huid.

'Heeft ze het zo gezegd?' vroeg de koning nog een keer.

Will knikte.

'Dan zal het zo gaan.' Kami'en wendde zich weer tot Hentzau. 'Laat de paarden halen. De koning van de goyl neemt een mens tot vrouw.'

HOOFDSTUK 50

De schoonheid en het beest

Trouwdag. Een dochter als betaalmiddel en een witte jurk om al die bloedige slagvelden onder te verstoppen. De kerkramen kleurden het ochtendlicht blauw, groen, rood en geel, en Jacob stond achter een van de met bloemen versierde pilaren te kijken hoe de banken van de kathedraal langzaam gevuld raakten. Hij droeg het uniform van de keizerlijke garde. De soldaat van wie hij het gepikt had, lag stevig vastgebonden in een steegje achter de kathedraal. Tussen de pilaren stonden zoveel soldaten dat een vreemd gezicht niemand opviel. In hun uniform waren ze witte vlekken in de kleurenzee die met de gasten de kerk in stroomde. De goyl zagen eruit alsof de stenen van de kathedraal de vorm van mensen hadden aangenomen. De kou in de enorme ruimte was vast niet naar hun zin, maar het schemerduister, dat ook de duizenden druipende kaarsen niet konden verdrijven, was voor hen gemaakt. Will zou zijn ogen niet achter onyxglas hoeven verbergen om zijn nieuwe rol te spelen. *De jadegoyl. Jouw broer, Jacob.*

Jacob voelde aan de gouden bal in zijn zak. *Pas als de bruiloft voorbij is.* Het zou niet meevallen om zo lang te wachten. Hij had al drie nachten nauwelijks geslapen en zijn arm deed pijn van de beet waarmee Vos het verdwijnslijmgif uit zijn aderen verdreven had.

Wachten...

Hij zag Valiant met Vos en Clara door het middenpad komen. De dwerg had zich geschoren, en zelfs de ministers op de eerste rijen waren niet beter gekleed dan hij. Vos keek zoekend om zich heen. Haar gezicht klaarde op toen ze Jacob tussen de pilaren zag staan. Maar een tel later was haar bezorgdheid terug. Vos vond zijn plan natuurlijk niets. En dat was niet zo gek. Zelf vond hij het ook niet veel, maar dit was zijn laatste kans. Als Will eenmaal met de koning en zijn bruid naar de onderaardse vesting vertrok, kon de Zwarte Fee nooit meer laten zien dat ze in staat was haar eigen vloek op te heffen.

Buiten zwol het rumoer aan. Het klonk alsof de wind door de menigte waaide, die al uren voor de kathedraal stond te wachten.

Daar kwamen ze. Eindelijk.

Goyl, dwergen en mensen – iedereen draaide zich om en keek naar het met bloemen omkranste portaal.

De bruidegom. Hij zette zijn zwarte bril af en bleef even in de deuropening wachten. Toen Will naast hem kwam staan, steeg er een gemompel op. Carneool en jade. Ze leken zo voor elkaar gemaakt dat zelfs Jacob zichzelf eraan moest herinneren dat zijn broer niet altijd een gezicht van steen had gehad. Met Will erbij werd Kami'en vergezeld door zes lijfwachten. En Hentzau.

Op het balkon begon het orgel te spelen. De goyl schreden naar het altaar. Ondanks hun stenen huid moesten ze de haat die hun in het gezicht sloeg haast wel voelen, maar de bruidegom liep ontspannen door, alsof hij in zijn eigen hangende paleis was, en niet in de hoofdstad van zijn vijanden.

Will liep zo dicht langs Clara en Vos dat ze hem hadden kunnen aanraken, maar hij zag hen niet. Clara's gezicht verstarde van pijn. Vos legde troostend een hand op haar schouder.

De bruidegom was net bij de treden naar het altaar aangekomen toen de keizerin haar opwachting maakte. Haar ivoorkleurige japon zou zelfs de bruid niet hebben misstaan. De vier dwergen die haar sleep droegen, keurden de bruidegom geen blik waardig, maar de keizerin glimlachte welwillend naar hem, waarna ze de treden beklom en plaatsnam achter het hekwerk van uit hout gesneden rozen dat links van het altaar de keizerlijke loge omgaf. Therese van Austrië was altijd al een uitstekende toneelspeelster geweest.

De bruid moest als volgende aankomen.

Er was eens een keizerin die een oorlog verloren had. Maar de keizerin had een dochter.

Zelfs het orgel kwam niet uit boven het geschreeuw dat Amalies komst aankondigde. Hoe de menigte buiten ook over de bruidegom dacht, de bruiloft van een keizersdochter was altijd reden om te feesten en van betere tijden te dromen.

Het mooie poppengezichtje, dat de lelie van de feeën de prinses bezorgd had, was net een masker, maar toch dacht Jacob in de volmaakte trekken iets van geluk te zien. Haar ogen kleefden aan haar stenen bruidegom alsof niet haar moeder, maar zijzelf hem had uitgekozen.

Kami'en wachtte haar glimlachend op. Will stond pal naast hem. *Hij moet aan zijn zijde blijven tot de bruiloft voorbij is...* Loop eens door, had Jacob de prinses wel toe willen schreeuwen. Doe het nou maar gewoon! Maar de bruid werd naar het altaar geleid door de hoogste generaal van haar moeder, en die had duidelijk helemaal geen haast.

Jacob keek steels naar de keizerin. Er stonden vier soldaten om de loge heen. Verder had ze haar dwergen bij zich – en haar adjudant. Donnersmark fluisterde iets in haar oor en keek op naar het orgelbalkon. Maar Jacob had nog steeds niets in de gaten. *Blind en doof, Jacob.*

Voordat de prinses meer dan tien stappen had kunnen zetten, viel het eerste schot. Het werd gelost door een scherpschutter op het orgelbalkon en was bedoeld voor de koning, maar Will duwde hem net op tijd opzij. Het tweede schot miste Will zelf op een haar na. Het derde trof Hentzau. En de Zwarte Fee zat in de paleistuin opgesloten in een huid van wilgenbast. *Goed werk, Jacob. Ze hebben je gebruikt als een afgerichte hond.*

Zo te zien had de keizerin haar moordplannen behalve voor haar dochter ook geheim gehouden voor haar ministers, die in paniek dekking zochten achter de dunne houten panelen van hun kerkbanken. Doodstil stond de prinses naar haar moeder te staren. De generaal probeerde haar mee te trekken, maar ze werden allebei teruggedrongen door de gasten die gillend uit de banken dromden. Waar wilden ze heen? De kerkdeuren waren allang vergrendeld. Misschien hoopte de keizerin zich op deze trouwerij niet alleen van de goylkoning, maar ook van een paar ongewenste onderdanen te ontdoen.

Vos en Clara waren nergens te bekennen, net zomin als Valiant, maar Will stond nog steeds pal voor Kami'en. De lijfwachten hadden een kring van grijze uniformen rond de koning gevormd. De andere goyl probeerden bij hen te komen, maar vielen onder de kogelregen van de keizerlijken als hazen die door een boer van zijn akker geschoten worden.

En jij hebt de fee voor hen uit de weg geruimd, Jacob. Hij baande zich een weg naar het altaar, maar toen hij daar aankwam vloog een van de dwergen van de keizerin hem aan. Jacob gaf hem met zijn elleboog een stoot in zijn bebaarde gezicht.

Geschreeuw, schoten, bloed op zijde en marmeren tegels. De keizerlijken waren overal. De goyl sloegen echter verbeten van zich af. En Will en de koning waren nog steeds ongedeerd, hoe onmogelijk dat ook leek. Er werd beweerd dat de goyl hun huid voorafgaand aan veldslagen extra hard maakten door hem te verhitten, en door een plant te eten die ze speciaal voor dat doel kweekten. Kennelijk hadden ze ook voor de bruiloft van de koning die maatregel getroffen. Zelfs Hentzau was weer opgekrabbeld. Maar tegenover elk van zijn mannen stonden minstens tien keizerlijken.

Jacob nam de gouden bal in zijn hand, maar goed richten was onmogelijk. Will was omringd door witte uniformen, en Jacob kon zijn arm amper optillen zonder dat er iemand tegenop botste. Ze waren verloren. Allemaal. Will, Clara, Vos. Weer viel er een goyl. De volgende was Hentzau. En ten slotte stond alleen Will nog voor de koning. Kami'en werd door twee keizerlijken tegelijk aangevallen. Will doodde hen allebei, hoewel er een zijn sabel diep in zijn schouder stak. *Kami'en heeft hem nodig.* De fee had het geweten. De jadegoyl. Het schild voor haar geliefde. Zijn broer.

Wills uniform was doorweekt van goyl- en mensenbloed. De koning en hij streden rug aan rug, maar ze waren omsingeld door witte uniformen. Straks zou ook hun goylhuid hen niet meer kunnen redden.

Doe iets, Jacob. Maakt niet uit wat!

Jacob zag vossenvacht tussen de banken, en Valiant die in het zijpad beschermend voor een in elkaar gedoken gestalte stond. Clara. Hij kon niet zien of ze nog leefde. Vlak naast hen vocht een goyl tegen vier keizerlijken. En Therese van Austrië zat achter haar houten rozen op de dood van haar vijand te wachten.

Jacob beklom met moeite de treden naar het altaar. Donnersmark stond nog steeds naast de keizerin. Hij keek Jacob aan. *Ik had je gewaarschuwd*, zeiden zijn ogen.

Will weerde drie keizerlijken tegelijk af. Het bloed stroomde langs zijn gezicht. Licht goylbloed. *Doe iets, Jacob.*

Toen hij zijn zakdoek pakte, viel een van de keizerlijken tegen hem aan, en de wilgenblaadjes dwarrelden op de borst van een dode. Goyl en mensen: *aan wiens kant sta je, Jacob?* Maar aan partij kiezen kon hij niet meer denken, alleen nog maar aan zijn broer. En aan Vos. En Clara. Hij raapte de blaadjes weer op en schreeuwde de naam van de fee boven het strijdgewoel uit.

Opeens stond ze aan de voet van het altaar, met bladderende boombast aan haar armen en wilgenblaadjes in haar lange haren. Ze stak haar handen in de lucht, en rond Will en haar geliefde schoten glazen ranken op. Kogels en sabels ketsten erop af alsof het kinderspeeltjes waren. Jacob zag zijn broer in elkaar zakken, maar de koning ving hem op. Intussen begon de fee te groeien als een vlam waar de wind onder komt, en uit haar haren zwermden de motten, duizenden zwarte beestjes, die, waar ze maar konden, neerstreken op mensen- en dwergenhuid.

De keizerin probeerde met haar dwergen te vluchten. Maar net als haar soldaten bezweken de dwergen onder de aanval van de motten, en ten slotte vonden ze ook de huid van de keizerin.

Mensenhuid.

Vos droeg haar vacht, maar waar was Clara?

Jacob bedacht zich geen moment en sprong over de doden en de gewonden heen, die met hun gegil en gekerm de hele kerk vulden. Hij rende de treden van het altaar af. Vos stond over Clara heen gebogen vertwijfeld naar de motten te happen. Valiant lag naast haar.

De fee stond in lichterlaaie. Jacob klemde de blaadjes stevig in zijn vuist en schuifelde langs haar. Ze draaide zich naar hem om alsof ze de druk van zijn vingers op haar huid voelde.

'Roep ze terug!' schreeuwde hij, terwijl hij zich naast Clara en Valiant op zijn knieën liet vallen.

De dwerg bewoog nog, maar Clara was zo bleek als de dood. Wit, rood, zwart. Jacob joeg de motten bij haar weg en moest de blaadjes loslaten om zijn witte uniformjas uit te trekken. Er zat genoeg bloed op voor het rood, maar waar moest hij het zwart vandaan halen? Toen hij de jas beschermend over Clara heen legde, streken de motten op hem neer. Met zijn laatste krachten rukte hij een zwart sjaaltje van de hals van een dode en bond het om haar arm. Fladderende vleugels en angels die zich als splinters in zijn vlees boorden. Ze zaaiden een verdoving die naar de dood smaakte. Jacob zakte naast de dwerg op de grond en voelde pootjes op zijn borst.

'Vos!' Hij kreeg bijna geen geluid meer over zijn lippen. Ze joeg de motten van zijn gezicht, maar het waren er te veel.

'Wit, rood, zwart,' stamelde hij, maar natuurlijk begreep ze niet waar hij het over had. De blaadjes... Hij liet zijn hand tastend over de grond gaan, maar zijn vingers waren van lood.

'Genoeg!'

Het was maar één woord, maar het kwam van de enige naar wie de Zwarte Fee in haar woede nog luisterde. De motten vlogen op zodra de koning zijn stem verhief. Zelfs het gif in Jacobs aderen leek op te lossen, tot er alleen nog een loden vermoeidheid van over was. De fee werd weer vrouw, en haar verschrikking verdween achter haar schoonheid zoals een mes in de schede verdwijnt.

Valiant rolde kreunend op zijn zij, maar Clara verroerde zich nog steeds niet. Ze sloeg haar ogen pas op toen Jacob zich over haar heen boog. Om zijn opluchting te verbergen wendde hij zijn gezicht af. Maar haar ogen zochten alleen zijn broer.

Tussen de glazen ranken was Will overeind gekomen. Kami'en deed een stap naar de voren; de ranken veranderden in water en vloeiden weg over de tegels, alsof ze het bloed van de altaartreden probeerden te spoelen.

De motten waren neergestreken op de dode en gewonde

goyl, en terwijl de Zwarte Fee haar geliefde omhelsde en het bloed uit zijn gezicht veegde, begonnen veel van hen weer te bewegen.

Will hielp de keizerin overeind en sloeg een dwerg die tussenbeide probeerde te komen tegen de grond. Drie andere goyl joegen de overlevenden uit de banken. Jacob zocht op handen en knieën naar de wilgenblaadjes, maar een van de goyl trok hem overeind en duwde hem en Clara in de richting van het altaar. Vos rende achter hen aan. Haar vacht bood nog steeds de beste bescherming. Ook Valiant was overeind gekrabbeld, en in een van de achterste banken dook een tengere gestalte op. Witte zijde, bevlekt met bloed, en een poppengezichtje dat ondanks alle angst nog steeds op een masker leek.

De prinses kwam met onzekere stappen het middenpad in. Haar sluier was gescheurd. Ze tilde haar rokken op, stapte over de generaal die haar begeleid had heen en liep als een slaapwandelaar naar het altaar. Haar lange sleep was zwaar van het bloed.

Haar bruidegom keek naar haar alsof hij zich afvroeg of hij haar zelf zou doden, of dat hij de Zwarte Fee het plezier zou gunnen. De woede van de goyl. In hun koning was het een kil vuur.

'Ga een priester halen,' beval hij Will. 'Er is er vast nog wel een in leven.'

De keizerin keek hem ongelovig aan. Ze kon bijna niet op haar benen staan, maar een dwerg schoot op haar af om haar te ondersteunen.

'Wat?' vroeg Kami'en. Met zijn sabel in zijn hand liep hij naar haar toe. 'U hebt geprobeerd mij te vermoorden. Verandert dat iets aan onze afspraak?'

Hij keek naar zijn bruid, die aan de voet van het altaar was blijven staan.

'Nee,' antwoordde Amalie met stokkende stem. 'Het verandert niets. En de prijs is nog steeds vrede.'

Haar moeder wilde protesteren, maar Kami'en legde haar met een blik het zwijgen op.

'Vrede?' herhaalde hij. Hij bekeek de doden die de motten niet meer tot leven hadden weten te wekken. 'Ik ben vergeten wat dat woord betekent. Maar als huwelijksgeschenk geef ik je je leven en dat van je moeder.'

De priester die door Will de sacristie uit werd gesleurd struikelde over de doden. Toen de prinses de altaartreden op liep, werd het gezicht van de Zwarte Fee nog witter dan de jurk van de bruid. En Kami'en, koning van de goyl, gaf Amalie van Austrië zijn jawoord.

HOOFDSTUK 51

Breng hem bij me

De bruid kwam in een jurk vol bloemen de kathedraal uit. Van het goylbloed had de fee witte rozen gemaakt, van het mensenbloed rode. De vlekken op het uniform van de bruidegom waren veranderd in robijn en maansteen. De wachtende menigte jubelde bij de aanblik. Sommigen vroegen zich misschien af waarom er zo weinig gasten achter het paar aan liepen, of zagen de angst op de gezichten van degenen die wel de kerk uit kwamen. Maar het lawaai op straat had de schoten in de kathedraal overstemd, de doden zwegen, en de koning van de goyl stapte met zijn mensenvrouw in de gouden koets waarin lang geleden Amalies overgrootmoeder al naar haar bruiloft was gereden.

Een onafzienbare rij koetsen stond voor de kathedraal te

wachten. De Zwarte Fee bleef als een dreiging boven aan de trap staan, terwijl de overgebleven goyl een haag vormden waaruit geen ontsnappen mogelijk was. Niet een van de keizerlijke soldaten die de menigte in bedwang moesten houden begreep dat de koetsen voor hun ogen werden volgestopt met gijzelaars. En dat een van die gijzelaars hun eigen keizerin was.

Ze wankelde toen Donnersmark haar in de koets hielp. Hij had het bloedbad overleefd, net als twee van haar dwergen. Een van hen was Auberon, haar favoriet. Hij kon nauwelijks lopen en zijn gezicht was opgezwollen door het mottengif. Jacob wist hoe hij zich voelde. Zelf was hij nog steeds als verdoofd. Met Clara ging het al niet beter, en Valiant struikelde over zijn eigen voeten toen ze de trap voor de kerk af liepen. Om te voorkomen dat de goyl haar wegjoegen, had Jacob Vos op zijn arm genomen. Ze waren gijzelaars en menselijke decoratie, camouflerende escorte voor de geliefde van de fee, wiens troepen nog geen dagmars van de stad verwijderd waren.

Wat heb je gedaan, Jacob?

Hij had zijn broer beschermd. En Will leefde nog. Hij had een huid van jade, maar hij leefde nog, en Jacob betreurde maar één ding: dat hij de wilgenblaadjes kwijt was, en daarmee de kans om zichzelf en de anderen tegen de Zwarte Fee te beschermen. Ze keek Jacob na toen hij na Clara met Vos in de koets stapte. Haar woede brandde nog op zijn huid, en om zijn broer het leven te redden had hij nu ook de keizerin en de halve Spiegelwereld tegen zich in het harnas gejaagd.

Voor ze vertrokken, klom er bij alle koetsiers nog een goyl op de bok. Voor de brug die de stad uit leidde, duwden de goyl de koetsiers er zonder pardon af. De keizerlijke soldaten die het bruidpaar escorteerden probeerden tussenbeide te komen, maar de Zwarte Fee liet haar motten los en de goyl reden ongehinderd over de brug, die nog gebouwd was door een voorvader van de bruid, en sloegen op de andere oever een zijstraat in.

Twaalf koetsen, veertig goylsoldaten. Een fee die haar geliefde beschermde. Een prinses die tussen de lijken getrouwd was. En een koning die zijn vijandin vertrouwd had en bedrogen was. En die zich daarvoor zou wreken.

Maar terwijl Valiant zichzelf hardop vervloekte omdat het hem een goed idee had geleken om naar een keizerlijke bruiloft te gaan, zei Jacob onophoudelijk bij zichzelf: *Je broer leeft nog, Jacob. Dat is het enige wat telt.*

Onder een donkere wolkenhemel reden de koetsen door een poort, waarachter rond een grote binnenplaats eenvoudige gebouwen stonden. Iedereen in Vena kende de oude munitiefabriek – en bleef er ver uit de buurt. Sinds de rivier een paar jaar geleden buiten zijn oevers was getreden en de gebouwen onder stinkende modder had bedolven, werd de fabriek niet meer gebruikt. Tijdens de laatste cholera-epidemie waren veel zieken hierheen gebracht om te sterven, maar daar hoefden de goyl zich geen zorgen over te maken. Voor de meeste mensenziekten waren ze immuun.

'Wat zijn ze van plan?' vroeg Clara toen de koetsen tussen de rode muren tot stilstand kwamen.

'Geen idee,' antwoordde Jacob.

Valiant klom op de bank en loerde naar de verlaten binnenplaats. 'Ik heb wel een vermoeden,' bromde hij.

Will stapte als eerste uit de gouden koets. Daarna volgden

de koning en zijn bruid, terwijl de goyl de gijzelaars uit de koetsen sleurden. Een van hen gaf de keizerin, die bij haar dochter probeerde te komen, een duw, en Donnersmark trok haar beschermend naar zich toe. De Zwarte Fee liep naar het midden van de binnenplaats en liet haar blik langs de lege gebouwen glijden. Ze zou haar geliefde niet nog een keer in een hinderlaag laten lopen. Vijf motten maakten zich los van haar jurk en vlogen naar de gebouwen. Geruisloze spionnen. Gevleugelde dood.

De goyl keken allemaal naar hun koning. Veertig soldaten, ternauwernood aan de dood ontsnapt, op het terrein van de vijand. *Wat nu?* vroegen ze met hun ogen. Met moeite verborgen ze hun angst achter machteloze woede. Kami'en wenkte een van hen, een goyl met de albasthuid van de spionnen.

'Ga kijken of de tunnel veilig is.' De koning klonk kalm. Als hij al bang was, dan wist hij dat beter te verbergen dan zijn soldaten.

'Ik wil er mijn goudboom om verwedden dat ik weet waar ze naartoe willen,' fluisterde Valiant toen de albastgoyl tussen de gebouwen verdween. 'Een van onze domste ministers heeft twee jaar geleden een tunnel naar Vena laten aanleggen. Hij geloofde namelijk niet in de toekomst van de spoorlijn. Een van die tunnels moest deze fabriek bevoorraden. Er gaan geruchten dat de goyl hem met hun westelijke vesting verbonden hebben, en dat hun spionnen er gebruik van maken.'

Een tunnel. *We gaan de aarde weer in, Jacob. Als ze de gijzelaars tenminste niet eerst doodschieten.*

De goyl begonnen iedereen bij elkaar te drijven. Jacob bukte zich naar Vos, zodat ze tussen al die paniekerige mensenvoeten niet zou verdwalen, maar een van de soldaten pakte hem beet en trok hem ruw de groep uit. Jaspis en amethist. Jacob herinnerde zich nog goed hoe ze de schorpioenen op zijn borst had gezet. Nesser. Vos wilde achter hem aan gaan, maar toen het goylmeisje een pistool op haar richtte nam Clara haar vlug op de arm.

'Hentzau is meer dood dan levend!' siste ze Jacob toe. 'Waarom leef jij eigenlijk nog?'

Ze duwde hem over de binnenplaats, langs de koning, die met Will naast de koetsen stond en overleg voerde met de twee officieren die de slachting overleefd hadden. Ze hadden niet veel tijd meer. De doden in de kathedraal waren intussen vast al ontdekt.

De Zwarte Fee stond onder aan de trap die naar de rivier omlaag leidde. Een stenen pier stak uit in het water, waarop als een vies vel het afval van de stad dreef. Maar de fee keek ernaar alsof het de lelies waren waartussen ze geboren was. *Ze zal je doden, Jacob.*

'Laat me met hem alleen, Nesser,' zei ze.

Het goylmeisje aarzelde, maar uiteindelijk wierp ze Jacob een van haat vervulde blik toe en liep de trap weer op.

De fee wreef over haar witte armen, waarop nog sporen van boombast zaten. 'Je hebt hoog ingezet en verloren.'

'Mijn broer heeft verloren,' antwoordde Jacob.

Hij was zo moe. *Dood me nou maar gewoon*, dacht hij.

De Zwarte Fee keek op naar Will. Hij stond nog steeds naast Kami'en. De koning en hij leken meer dan ooit bij elkaar te horen.

'Hij was precies zoals ik gehoopt had,' zei ze. 'Kijk hem eens. Al dat stenen vlees. Alleen voor hem gezaaid.'

Ze draaide zich om.

'Je krijgt hem van me terug,' zei ze. 'Op één voorwaarde. Breng hem heel ver hiervandaan, zo ver dat ik hem niet kan vinden. Want anders dood ik hem.'

Jacob kon zijn oren niet geloven. Hij droomde. Dat was het. Een of andere koortsdroom. Waarschijnlijk lag hij nog gewoon in de kathedraal en spoten haar motten hun gif onder zijn huid.

'Waarom?' Zelfs dat ene woord kreeg hij bijna niet over zijn lippen.

Waarom vraag je dat, Jacob? Waarom wil je weten of het een droom is? Als het zo is, is het in elk geval een mooie droom. Je krijgt je broer terug.

De fee gaf toch ook geen antwoord...

'Breng hem naar dat gebouw naast de poort,' zei ze, terwijl ze zich weer naar het water omdraaide. 'Maar haast je. En pas op voor Kami'en. Hij zal zijn schaduw niet graag opgeven.'

Jaspis, onyx, maansteen. Jacob stak met gebogen hoofd de binnenplaats over en vervloekte zijn mensenhuid. Geen van de overgebleven goyl wist waarschijnlijk dat ze hun leven aan hem te danken hadden. Gelukkig hadden de meeste hun handen vol aan de gijzelaars en de gewonden, en Jacob bereikte de koetsen zonder dat iemand hem aanhield.

Kami'en stond bij zijn officieren. De albastgoyl was nog niet terug. De prinses stapte op haar man af en begon op hem in te praten, tot hij haar ongeduldig meetrok. Will volgde de koning met zijn ogen, maar hij ging niet achter hem aan.

Nu, Jacob.

Wills hand ging naar zijn sabel zodra Jacob tussen de koetsen vandaan kwam.

Zullen we pakkertje spelen, Will?

Zijn broer duwde twee goyl opzij en begon te rennen. Van zijn wonden leek hij weinig last te hebben. *Niet te hard lopen, Jacob. Laat hem dichterbij komen, net als toen jullie nog klein waren.* Terug tussen de koetsen. Langs de barak waar nu de gijzelaars in opgesloten werden. Het volgende gebouw was het gebouw naast de poort. Jacob smeet de deur open. Een donkere gang met dichtgetimmerde ramen. De lichtvlekken op de vieze vloer zagen eruit als gemorste melk. In de eerste ruimte stonden nog de bedden voor de cholerapatiënten. Jacob verstopte zich achter de geopende deur. Net als toen.

Will draaide zich met een ruk om toen Jacob de deur achter hem dichtgooide, en even lag er dezelfde verraste blik in zijn ogen als vroeger, wanneer Jacob zich in het park achter een boom verstopt had. Maar niets wees erop dat hij hem herkende. De vreemde met het gezicht van zijn broer. En toch ving Will de gouden bal. Zijn handen hadden hun eigen geheugen. *Vangen, Will!* De bal verslond hem zoals de kikker de vlieg, en op de binnenplaats zocht de stenen koning vergeefs naar zijn schaduw.

Jacob raapte de bal op en ging op een van de bedden zitten. Hij zag zijn eigen gezicht in het goud, vervormd zoals in de spiegel van zijn vader. Hij kon niet zeggen waarom hij aan Clara moest denken – misschien kwam het door de ziekenhuisgeur die nog tussen de muren hing, heel anders en toch precies hetzelfde als in de andere wereld –, maar heel even, in een flits vroeg hij zich af hoe het zou zijn als hij de gouden bal gewoon liet liggen. Of hem in de kist in Chanutes herberg stopte.

Wat is er met je aan de hand, Jacob? Is dat leeuwerikwater nog steeds niet uitgewerkt? Of ben je bang dat je broer voor altijd de vreemde met het van haat vertrokken gezicht zal blijven, zelfs als de fee zich aan haar belofte houdt?

Plotseling stond de fee in de deuropening, alsof hij haar met zijn gedachten tevoorschijn getoverd had.

'Kijk eens aan,' zei ze met een blik op de gouden bal in Jacobs handen. 'Ik kende het meisje dat met die bal speelde, lang voor jij of je broer geboren werden. Ze ving er niet alleen een bruidegom mee, maar ook haar grote zus. Pas tien jaar later liet ze haar weer vrij.'

Ze liep naar Jacob toe. Haar japon sleepte over de stoffige vloer.

Hij aarzelde, maar uiteindelijk legde hij de bal in haar hand.

'Eeuwig zonde,' zei ze, terwijl ze de bal naar haar lippen bracht. 'Je broer is veel mooier met een huid van jade.' Ze zuchtte op het glanzende oppervlak tot het goud besloeg en gaf de bal terug aan Jacob.

'Wat?' vroeg ze, toen ze hem bedenkelijk zag kijken. 'Je vertrouwt de verkeerde fee.'

Ze kwam zo dicht bij hem staan dat hij haar adem in zijn gezicht voelde.

'Er is iets wat mijn zuster je niet verteld heeft. Iedere mens die mijn naam uitspreekt valt in handen van de dood. Hij komt langzaam, zoals het de wraak van een onsterfelijke betaamt. Misschien heb je nog een jaar, maar je zult hem algauw voelen. Zal ik hem laten zien?'

Ze legde haar hand op zijn borst en Jacob voelde een stekende pijn bij zijn hart. Zijn hemd werd nat van het bloed, en toen hij het opentrok, zag hij dat de mot op zijn huid tot leven was gekomen. Jacob nam het volgezogen beest tussen zijn vingers, maar de klauwen zaten zo diep in zijn vlees dat het aanvoelde alsof hij zijn hart uit zijn borst rukte.

'Ze zeggen dat voor mensen de liefde vaak aanvoelt als de dood,' zei de fee. 'Is dat zo?'

Ze drukte de mot plat op Jacobs borst, en weer bleef er alleen een afdruk achter.

'Als het goud niet meer beslagen is, laat je je broer eruit,' zei de Zwarte Fee. 'Bij de poort staat een koets te wachten, voor jou en degenen met wie je gekomen bent. Maar vergeet niet wat ik je gezegd heb. Breng hem zo ver je maar kunt bij mij vandaan.'

HOOFDSTUK 52

En als ze niet gestorven zijn

De toren en de verschroeide muren. De verse wolvensporen. Het leek alsof ze nog maar pas vertrokken waren. Maar toen Jacob de paarden tussen de bomen liet stoppen, zakten de wielen van de koets in pas gevallen sneeuw.

Vos sprong uit de koets en begon het koude wit van haar pootjes te likken. Jacob klom van de bok en haalde de gouden bal uit zijn zak. Het oppervlak was bijna helder en weerspiegelde de bewolkte ochtendhemel. Jacob had onderweg zo vaak naar de bal gekeken dat Vos waarschijnlijk allang geraden had wat erin zat. Clara had hij nog niets verteld.

Ze hadden er twee dagen over gedaan om weer bij de ruïne te komen, en bij het laatste koetsstation hadden de stalknechten verteld dat de goyl de bruiloft van hun koning in een bloedbad veranderd hadden, en dat de keizerin ontvoerd was. Meer wist niemand ervan.

Vos rolde zich door de sneeuw alsof ze de afgelopen weken uit haar vacht probeerde te wassen. Clara stond stil naar de toren te kijken. Haar adem hing in witte wolkjes in de lucht, en ze rilde in de jurk die Valiant voor de bruiloft voor haar gekocht had. De lichtblauwe zijde was vuil en gescheurd, maar haar gezicht herinnerde Jacob nog steeds aan natte vogelveren, ook al zag hij er alleen maar verlangen naar zijn broer in.

'Een ruïne?' Valiant klom uit de koets en keek verbouwereerd om zich heen. 'Wat heeft dit te betekenen?' beet hij Jacob toe. 'Waar is mijn boom?'

Een kabouter maakte zich los uit de schaduw en raapte haastig een paar eikeltjes uit de sneeuw.

'Vos, wijs hem de boom.'

Valiant rende zo hard achter Vos aan dat hij bijna over zijn benen struikelde. Clara keek hen niet na.

Het leek alweer zo lang geleden dat hij haar voor het eerst tussen de zuilen had zien staan.

'Je wilt dat ik terugga, hè?' Ze keek hem aan zoals alleen zij dat kon. 'Zeg het maar gerust. Ik zal Will nooit meer zien. Jij kunt er niets aan doen. Ik weet dat je er alles aan gedaan hebt.'

Jacob pakte haar hand en legde de bal erin. Het oppervlak was nu glashelder, en het goud glansde alsof de zon zelf het gemaakt had. *Je vertrouwt de verkeerde fee.*

'Je moet hem opwrijven,' zei hij. 'Tot je jezelf erin kan zien als in een spiegel.'

Hij liet haar alleen en trok zich terug tussen de vervallen

muren. Will zou als eerste Clara's gezicht willen zien. *En ze leefden nog lang en gelukkig.* Als de Zwarte Fee hem niet net zo bedrogen had als haar zuster.

Jacob duwde de klimop voor de deur van de toren opzij en keek op naar de roetzwarte muren. Hij herinnerde zich hoe hij die eerste keer vanuit de torenkamer naar beneden gekomen was, aan een touw dat hij gevonden had in de kamer van zijn vader. Waar anders?

Hij had nog steeds pijn bij zijn hart. De afdruk van de mot was net een brandmerk onder zijn hemd. *Je hebt betaald, Jacob, maar wat heb je ervoor teruggekregen?*

Hij hoorde Clara's onderdrukte kreet.

Iemand zei haar naam.

Wills stem had in geen tijden zo zacht geklonken.

Jacob hoorde hen fluisteren. Lachen.

Hij leunde met zijn rug tegen de muur, die vochtig was van de kou die tussen de stenen bleef hangen.

Steen.

Het was voorbij. Déze fee had haar belofte gehouden. Jacob wist het voor hij de klimop weer liet vallen en zich omdraaide. Voor hij Will naast Clara zag staan. Het steen was weg en de ogen van zijn broer waren blauw. Alleen maar blauw.

Ga dan naar hem toe, Jacob.

Jacob stapte tussen de besneeuwde muren vandaan. Will liet Clara's handen los en keek hem sprakeloos aan, maar er sprak geen woede meer uit zijn ogen. Geen haat. De vreemde met de jadehuid was weg, al droeg Will nog wel het grijze uniform.

Met zijn blik strak op Jacobs borst gericht, alsof hij de bloedige schotwond die de goyl hem hadden toegebracht nog zag zitten, liep Will op zijn broer af. Hij omhelsde hem zo stevig als hij sinds hun kindertijd niet meer gedaan had.

'Ik dacht dat je dood was. Ik wist wel dat het niet waar kon zijn!'

Will.

Hij deed een stap achteruit en bekeek Jacob opnieuw, alsof hij maar niet kon geloven dat zijn broer echt niets mankeerde.

'Hoe heb je dit klaargespeeld?' Will stroopte de mouw van zijn jasje op en voelde aan zijn zachte huid. 'Het is weg!'

Hij draaide zich om naar Clara. 'Ik zei het toch. Jacob lost het wel op. Ik weet niet hoe, maar zo is het altijd geweest.'

'Ik weet het,' zei ze. Ze glimlachte. En in de blik die ze hem toewierp zag Jacob alles wat er gebeurd was.

Will streek over zijn schouder, waar de sabel de grijze stof gescheurd had. Wist hij dat die vlekken daar van zijn eigen bloed kwamen? Nee. Hoe zou hij dat moeten weten? Het was bleek goylbloed.

Hij had zijn broer terug.

'Jullie moeten me alles vertellen.' Will pakte Clara bij de hand.

'Het is een lang verhaal,' zei Jacob. En het was een verhaal dat hij Will nooit zou vertellen.

Er was eens een jongen die de wereld in trok om te leren wat angst was.

Even dacht Jacob een zweem goud in Wills ogen te zien, maar waarschijnlijk was het gewoon de zon die erin scheen.

'Breng hem ver, heel ver hiervandaan.'

'Kijk toch eens! Ik ben rijker dan de keizerin! Wat zeg ik? Rijker dan de Kromme Prins!' Verguld haar, vergulde schouders. Zelfs Jacob herkende Valiant amper toen hij achter de ruïne vandaan kwam. Het goud plakte aan de dwerg als het stuifmeel dat de boom altijd over Jacob had uitgeschud.

Valiant liep langs Will zonder hem op te merken.

'Goed, ik geef het toe!' riep hij naar Jacob. 'Ik was er zeker van dat je me zou bedriegen. Maar hiervoor breng ik je zó nog een keer naar de vesting! Wat denk je? Is het slecht voor die boom als ik hem uitgraaf?'

Vos kwam met gouden vlokken in haar vacht achter de rug van de dwerg vandaan. Maar zij bleef stokstijf staan toen ze Will zag. *Wat zeg jij, Vos? Ruikt hij nog steeds zoals zij?*

Will raapte een goudklompje op dat de dwerg uit zijn haren geschud had.

Valiant had hem nog steeds niet gezien. Hij zag helemaal niets meer. 'Nee. Nee, ik graaf hem uit!' riep hij opgewonden. 'Weet ik veel? Straks schudden jullie al het goud eruit als ik weg ben. Nee!'

Hij struikelde bijna over Vos toen hij weer wegrende. Will veegde peinzend de sneeuw van het goudklompje.

Breng hem weg, Jacob. Heel ver weg.

Clara keek bezorgd naar Jacob.

'Kom, Will,' zei ze. 'Laten we naar huis gaan.' Ze pakte zijn hand, maar Will wreef over zijn arm alsof hij onder zijn huid het jade weer voelde groeien.

Breng hem weg, Jacob.

'Clara heeft gelijk, Will,' zei hij, en hij pakte hem bij zijn arm. 'Kom mee.'

En Will volgde hem, al keek hij nog een keer om alsof hij iets vergeten was.

Vos liep mee naar de toren, maar bij de deuropening bleef ze staan.

'Ik ben zo terug,' zei Jacob, terwijl Clara Vos ten afscheid een aai gaf. 'Zorg dat de dwerg het goud opraapt voor de raven komen.'

Tovergoud trok hele zwermen goudraven aan, en hun gekras kon een mens van zijn verstand beroven. Vos knikte, maar ze treuzelde een tijdje voor ze zich omdraaide. Haar bezorgde blik gold Clara, niet Will. Ze was het leeuwerikwater nog niet vergeten. Wanneer zou hij het vergeten? *Als ze weg zijn, Jacob.*

Hij klom als eerste de touwladder op. In de torenkamer lag een dode kabouter tussen de eikeldoppen. Waarschijnlijk gedood door de stilt. Voor hij Clara omhoog hielp, schoof Jacob het lichaampje onder wat bladeren.

De spiegel ving hen allemaal in zijn donkere glas, maar Will was degene die erop afstapte en erin keek alsof hij een vreemde voor zich zag. Clara ging naast hem staan en pakte zijn hand. Jacob liep achteruit tot de spiegel hem niet meer kon vinden.

Will keek hem vragend aan. 'Ga je niet mee?'

Niet alles was vergeten. Jacob zag het aan Wills gezicht. Maar hij had zijn broer terug. Misschien meer dan ooit.

'Nee,' zei hij. 'Ik kan Vos toch moeilijk alleen laten?'

Will keek hem aan. Wat zag hij? Een donkere gang? Een sabel in zijn hand...

'Weet je wanneer je terugkomt?'

Jacob glimlachte.

Ga nou maar, Will.

'Zo ver weg dat ik hem niet kan vinden.'

Maar Will liet Clara staan en liep terug naar Jacob.

'Dank je, broer,' fluisterde hij, terwijl hij hem omarmde.

Hij draaide zich om – en bleef nog een keer staan. 'Ben je hem wel eens tegengekomen?' vroeg hij.

Jacob voelde Hentzaus gouden ogen weer op zich gericht – die ogen die in zijn gezicht dat van zijn vader herkend hadden.

'Nee,' antwoordde hij. 'Nog nooit.'

Will knikte en Clara pakte zijn hand, maar toen Will zijn hand op de spiegel legde, keek ze naar Jacob.

Een tel later waren ze weg en zag Jacob alleen nog zichzelf in het bobbelige glas. Zichzelf en de herinnering aan iemand anders.

Vos stond onder aan de toren op hem te wachten.

'Wat was de prijs?' vroeg ze, terwijl ze samen naar de koets liepen.

'De prijs waarvoor?'

Jacob spande de paarden uit. Hij zou ze aan Chanute geven in ruil voor het pakpaard dat hij kwijtgeraakt was. En hij kon alleen maar hopen dat de goyl zijn merrie goed zouden behandelen.

'De prijs voor je broer.' Vos wisselde van gedaante. Ze droeg weer haar eigen jurk, die veel beter bij haar paste dan de kleren die ze in de stad gedragen had.

'Niet meer aan denken. Hij is al betaald.'

'Waarmee?'

Ze kende hem gewoon veel te goed.

'Hij is al betaald, zei ik toch. Wat voert die dwerg in zijn schild?'

Vos keek naar de stallen. 'Die raapt zijn goud bij elkaar. Daar gaat hij nog dagen over doen. En ik had me er nog wel zo op verheugd dat de boom stinkend stuifmeel over hem zou uitstorten.'

Ze keek naar de lucht. Het begon weer te sneeuwen. 'We zouden naar het zuiden moeten gaan.'

'Misschien wel.'

Jacob stak een hand onder zijn hemd en voelde aan de afdruk van de mot. *Misschien heb je nog een jaar.*

Nou en? Een jaar was een hele tijd, en in deze wereld bestond voor alles een medicijn. Hij moest het alleen zien te vinden.